CB054230

FICHA CATALOGRÁFICA

(Preparada na Editora)

Xavier, Francisco Cândido, 1910-2002.

X19r *Retornaram Contando* / Francisco Cândido Xavier, Espíritos Diversos, Hércio Marcos Cintra Arantes. Prefácio de Emmanuel. Araras, 7ª edição, IDE, 2011

160 p. il.

ISBN 978-85-7341-529-2

1. Espiritismo 2. Psicografia I. Espíritos Diversos. II. Arantes, Hércio Marcos Cintra, 1937 - III. Título.

CDD -133.9
-133.91
-133.901 3

Índices para catálogo sistemático

1. Espiritismo 133.9
2. Psicografia: Mensagens: Espiritismo 133.91
3. Vida depois da morte: Espiritismo 133.901 3

CHICO XAVIER
HÉRCIO M. C. ARANTES

coleção

CARTAS PSICOGRAFADAS

RETORNARAM CONTANDO"

Nada de
canto-ide Serafim

ide

ISBN 978-85-7341-529-2

7ª edição - maio/2011
2ª reimpressão - setembro/2019

Projeto e Coordenação:
Jairo Lorenzetti

Capa:
César França de Oliveira

Diagramação:
Maria Isabel Estéfano Rissi

INSTITUTO DE DIFUSÃO ESPÍRITA - IDE
Av. Otto Barreto, 1067
CEP 13602-060 - Araras/SP - Brasil
Fone (19) 3543-2400
CNPJ 44.220.101/0001-43
Inscrição Estadual 182.010.405.118
www.ideeditora.com.br
editorial@ideeditora.com.br

coleção

CARTAS PSICOGRAFADAS

"RETORNARAM CONTANDO"

CHICO XAVIER

HÉRCIO M. C. ARANTES

Sumário

Apresentação

Amigo Leitor,

Muitos companheiros do Plano Físico nos solicitam colaboração para que se lhes forme ou se lhes consolide a fé na sobrevivência além da morte.

São pais amorosos que tateiam chorando a lousa que lhes guarda as últimas lembranças dos filhos queridos; amigos desnorteados pelo sofrimento, ante a perda de esposas inolvidáveis; ateus, dignos de apreço pela respeitabilidade com que pautam a própria vida, a perguntarem se é verdade que ressurgirão da morte os entes amados que os antecederam na Grande Mudança; criaturas doentes e tristes que rogam apoio à fé vacilante com que se reconhecem à frente da morte próxima...

Reunindo comunicados diversos de companheiros desencarnados, no intuito de reconfortar e esclarecer aos irmãos que transitam sob a névoa das lágrimas, recordando os seres amados, reconduzidos ao Plano Espiritual, o nosso amigo Dr. Hércio Arantes apresenta as mensagens que compõem este volume despretensioso que recebeu o título "Retornaram Contando".

Com estas breves elucidações, colocamos-te nas mãos as páginas deste livro simples e comovente, com o desejo de sermos úteis aos companheiros que ficaram na Terra.

Sem comentários outros, formulamos votos para que este volume se te faça mensageiro de reconforto e esperança, paz e bom ânimo, ao mesmo tempo em que pedimos ao Cristo, nosso Mestre e Senhor, nos conduza e abençoe.

EMMANUEL

Uberaba, 18 de maio de 1984.

Mensagem de Emmanuel

Eles Vivem

Ante os que partiram, precedendo-te na Grande Mudança, não permitas que o desespero te ensombre o coração.

Eles não morreram. Estão vivos.

Compartilham-te as aflições quando te lastimas sem consolo.

Inquietam-se com a tua rendição aos desafios da angústia quando te afastas da confiança em Deus.

Eles sabem igualmente quanto dói a separação.

Conhecem o pranto da despedida e te recordam as mãos trementes no adeus, conservando na acústica do espírito às palavras que pronunciaste, quando não mais conseguiam responder às interpelações que articulaste no auge da amargura.

Não admitas estejam eles indiferentes ao teu caminho ou à tua dor.

Eles percebem quanto te custa a readaptação ao mundo e à existência terrestre sem eles, e quase sempre se transformam em cirineus de ternura incessante, amparando-te o trabalho de renovação ou enxugando-te as lágrimas quando tateias a lousa ou lhes enfeitas a memória perguntando por quê...

Pensa neles com a saudade convertida em oração.

As tuas preces de amor representam acordes de esperança e devotamento, despertando-os para visões mais altas da vida.

Quanto puderes, realiza por eles as tarefas em que estimariam prosseguir e tê-los-ás contigo por infatigáveis zeladores de teus dias.

Se muitos deles são teu refúgio e inspiração nas atividades a que te prendes no mundo, para muitos outros deles és o apoio e o incentivo para a elevação que se lhes faz necessária.

Quando te disponhas a buscar os entes queridos domiciliados no Mais Além, não te detenhas na terra que lhes resguarda as últimas relíquias da experiência no plano material...

Contempla os céus em que mundos inumeráveis nos falam da união sem adeus e ouvirás a voz deles no próprio coração, a dizer-te que não caminharam na direção da noite, mas, sim, ao encontro de Novo Despertar.

(Página recebida pelo médium Francisco Cândido Xavier, em reunião pública da Comunhão Espírita Cristã, na noite de 20/setembro/1974, em Uberaba, Minas.)

Carta 1
Três irmãos no caminho da redenção

Há 23 anos, o casal Alberto e Angélica Fortunato, atualmente residente em Ibitinga, SP, passou por uma provação das mais difíceis: num instante, perderam três filhos menores afogados numa piscina.

Na época, residiam em São Paulo e foram convidados para passarem o fim de semana na fazenda Bela Vista, que o amigo José, japonês, arrendava em Mogi das Cruzes.

Quando se deu o acidente, naquela fazenda, no dia 4 de dezembro de 1961, não havia nenhum adulto próximo da piscina; lá estavam somente três filhos do casal Fortunato: Jair, com 13 anos de idade, Osmar, com 15, José, com 16, e um menininho, filho do anfitrião. Sabe-se que

Jair, aniversariante do dia, foi o primeiro a entrar na piscina. Logo se afogou, e os seus dois irmãos mergulharam para salvá-lo; debateram-se e morreram juntos, apesar da tentativa de salvamento do japonesinho, com uma vara de bambu.

O choque emocional para as duas famílias foi muito grande, pois um fim de semana feliz e festivo transformou-se, em poucos minutos, numa dolorosa tragédia.

21 anos se passaram...

E aos 19 de fevereiro de 1982, o casal Fortunato compareceu à reunião pública do Grupo Espírita da Prece (GEP), em Uberaba, Minas, onde manteve um diálogo rápido com Chico Xavier, quando, para surpresa e alegria de ambos, o médium visualizou, ao lado deles, as entidades espirituais: Maria Justina, avó do Sr. Alberto; Angélica, avó da Sra. Angelina; e "um senhor japonês", velho amigo do casal.

Horas mais tarde, no desenrolar da reunião, Chico psicografou esta elucidativa carta de José – um dos queridos filhos do casal Fortunato, já domiciliado no Mais Além –, reveladora das razões profundas do acidente coletivo que colocou os três irmãos no caminho da redenção:

Querida Mãezinha Angélica e querido Papai Alberto, peço-lhes nos abençoem.

Sou eu quem toma o lápis para as notícias.

Creio que as nossas lágrimas recíprocas já lavaram a nossa dor; entretanto, comovo-me ao recordar a despedida tríplice. Quando caímos nas águas da grande piscina, o Osmar, o Jair e eu estávamos sendo conduzidos pelos Desígnios do Senhor a resgatar o passado que nos incomodava.

Nada posso detalhar quanto ao fim do corpo de que nos desvencilhamos, como quem se vê na contingência de trocar a veste estragada e de reajuste impossível. O sono compulsivo que nos empolgou os três foi algo inexplicável de que voltamos à forma da consciência, dias após o estranho desenlace.

Estávamos os três alarmados e infelizes no hospital a que fomos transportados, quando duas senhoras se destacaram dos serviços de enfermagem para nos endereçarem a palavra...

No fundo, queríamos apenas regressar à casa e retornar ao cotidiano, porque aquele debate com as águas fora para nós, naquele despertar, uma espécie de brincadeira de mau gosto, na qual supúnhamos haver desmaiado...

Aquele instituto devia ser uma casa de pronto-socorro como tantas...

Entretanto, as duas senhoras se declararam nossas avós Maria Justina e Angélica, e nos informaram, com naturalidade e sem qualquer inflexão de voz agressiva, que havíamos voltado ao Lar, ao Grande Lar de nossa família na Vida Espiritual. Os irmãos e eu choramos, como não podia deixar de acontecer...

Fomos conduzidos a nossa casa e vimos os pais amargurados... Soubemos que o amigo José japonês havia recebido um choque tão grande com a nossa desencarnação, que fora também desligado do corpo; soubemos que outros parentes haviam sofrido muito...

Nosso pranto se misturou ao da Mamãe Angélica e do Papai, do Antonio e do Carlos Alberto, e muitos dias e meses correram nessa situação de incompreensão e de dor...

Dois anos passados, fomos visitados por um amigo de nossa família, que se deu a conhecer por Miguel Pereira Landim, respeitado e admirado por nossos familiares da Espiritualidade. Nossa avó Maria Justina nos permitiu endereçar-lhe perguntas e todos os três indagamos dele a causa do sucedido em nossa ida a Mogi. Ele sorriu e marcou o dia em que nos facultaria o conhecimento do acontecido em suas causas primordiais.

Voltando a nós, na ocasião prevista, conduziu-nos os três à Matriz do Senhor Bom Jesus, em Ibitinga. Entramos curiosos e inquietos. A igreja estava repleta de militares desencarnados. Muitos traziam as medalhas conquistadas, outros ostentavam bandeiras. Em meu coração, passou a surgir a recordação que eu não estava conseguindo esconder. De repente, vi-me na farda de que não me lembrava, junto dos irmãos igualmente transformados em homens de guerra e o nosso olhar se voltou inexplicavelmente para as cenas que se nos desenrolavam diante dos olhos.

Envergonho-me de confessar, mas a consciência não me permite recuos. Vi-me com os dois irmãos numa batalha naval, que peço permissão para não mencionar pelo nome, quando nós, na condição de brasileiros, lutávamos com os irmãos de república vizinha...

Afundávamos criaturas sem nenhuma ligação com as ordens belicistas nas águas do grande rio, criaturas que, em vão, nos pediam misericórdia e vida... Replicávamos que em guerra tudo resulta em guerra...

Foi então que o chefe Landim apontou para uma antiga imagem de Jesus, do Senhor Bom Jesus, e falou em voz alta que aquela figu-

ra do Cristo viera do forte Itapura com destino à nossa cidade e que, perante Jesus, havíamos os três resgatado uma dívida que nos atormentava, desde muito tempo.

Aqueles companheiros presentes passaram a nos felicitar, explicando-nos que se haviam transformado em servidores das legiões de Jesus Cristo. O que choramos, num misto de alegria e sofrimento, não sabemos contar.

Fique, porém, esta informação para os queridos pais e para os irmãos queridos, a fim de que todos saibamos que a injustiça não é de Deus e que os nossos sofrimentos e provas se efetuam a pedido de nós mesmos, para que a nossa vida espiritual, a única verdadeira, se torne mais aceitável e mais ajustada às Leis Divinas que a todos nos regem.

Queridos pais, aqui estamos com a nossa avó Maria Justina, que nos abençoa, e, agradecendo-lhes por todas as consolações com que nos fortalecem até hoje, com o carinho dos meus irmãos presentes, rogo-lhes receber a vida e o amor, as saudades e as melhores esperanças, do filho que lhes pertencerá sempre diante de Deus,

JOSÉ FORTUNATO.

Notas e Identificações

1 - *Avós Maria Justina e Angélica* – Na verdade, são bisavós dos meninos. D. Maria Justina Fortunato, avó do sr. Alberto, faleceu em 1925, na cidade de São Paulo. E a D. Angélica do Nascimento, avó da sra. Angelina, faleceu há mais de 20 anos, também em São Paulo.

2 - *amigo José japonês* – Após o acidente, as duas famílias não mais tiveram contato, apesar da compreensão mútua do ocorrido. O casal Fortunato soube, na época, que o amigo José faleceu, aproximadamente, um ano após a desencarnação dos meninos; mas ignorava que ele tivesse sofrido tanto, a ponto de não resistir por muito tempo as consequências do impacto emocional provocado pela tragédia. A sua presença espiritual na reunião de Uberaba, detectada pelo médium Xavier, foi muito confortadora para os pais dos garotos.

3 - *Antonio e Carlos Alberto* – Irmãos.

4 - *Miguel Pereira Landim* – Fundou, em 1860, a cidade de Ibitinga, SP, atualmente considerada a "Capital Nacional dos Bordados". Faleceu em 1890.

5 - *conduziu-nos os três à Matriz do Senhor Bom Jesus, em Ibitinga. (...) Em meu coração passou a surgir a recordação que eu não estava conseguindo esconder. (...) e o*

nosso olhar se voltou inexplicavelmente para as cenas que se nos desenrolavam diante dos olhos. – José registrava, de forma natural, lembranças vagas de um passado distante, que "não estava conseguindo esconder". Mas, em ambiente adequado, provavelmente com a presença de Benfeitores Espirituais, especializados em ativação da memória por processos magnéticos, ele pôde assenhorear-se de um importante fato vivido por ele mesmo, no século 19, em sua penúltima encarnação, quando participou da Guerra do Paraguai, que se desenrolou de 1864 a 1870.

Observa-se que esta rememoração se deu somente após 19 anos da última desencarnação de José, ocorrida no acidente da piscina, em 1961. Esse tempo prolongado se deve ao fato de que a grande maioria de nós temos na retaguarda um passado delituoso, e precisamos "de grande equilíbrio para podermos recordar, edificando." E, só com o concurso do tempo, em geral muitos e muitos anos após a desencarnação, é que adquirimos condições para nos assenhorearmos, com real proveito, do nosso passado, referente a uma ou mais existências anteriores. (Ver *Nosso Lar,* Cap. 21 *e Entre a Terra e o Céu,* Cap. 13, ambos de Francisco C. Xavier, André Luiz, FEB.)

6 - *Foi então que o chefe Landim apontou para uma antiga imagem de Jesus, do Senhor Bom Jesus, e falou em voz alta que aquela figura do Cristo viera do forte Itapura*

com destino à nossa cidade – Senhor Bom Jesus de Ibitinga é uma bela figura de madeira, esculpida por artista desconhecido. O fundador Miguel Landim a trouxe do Forte de Itapura, em histórica viagem de 8 dias, de canoa, pelo Rio Tietê (ou, segundo outra versão, foi trazida por Nhô João e mais dez homens, a mando de Miguel Landim). Atualmente, entronizada na Igreja Matriz do Senhor Bom Jesus de Ibitinga, é a imagem do padroeiro da comunidade. (Informação gentilmente prestada pelo dinâmico jornalista Gino Amatucci, diretor do jornal *Cidade de Ibitinga*. O casal Fortunato, residente em Ibitinga há poucos anos, desconhecia estes fatos históricos.)

7 - *havíamos os três resgatado uma dívida que nos atormentava, desde muito tempo.* – Como vemos, pela bênção da reencarnação, os três irmãos puderam retornar ao Plano Físico e resgatar antiga e atormentadora dívida do passado, contraída entre 1864 a 1870. José Fortunato, já amadurecido e consciente de sua situação no Mundo Espiritual, revela conhecimento das Leis Justas e Sábias que regem nossos destinos, permitindo-lhe esclarecer seus familiares com segurança: *Fique, porém, esta informação (...) a fim de que todos saibamos que a injustiça não é de Deus e que os nossos sofrimentos e provas se efetuam a pedido de nós mesmos.*

8 - Em entrevista realizada na residência do simpático casal Fortunato, em 15/01/1983, D. An-

gélica contou-nos que, na noite anterior do acidente, teve um sonho de muita nitidez, no qual dois de seus filhos morreram: um deles afogado num lago e o outro de acidente automobilístico. Mas, não acordou impressionada; ela mesma insistiu para ir à fazenda de Mogi das Cruzes, contra a vontade do marido, que amanheceu indisposto, porque já havia programado a viagem recreativa também com seus pais.

Este tipo de sonho, que interpretamos como premonitório, sempre auxilia a pessoa às vésperas de um momento difícil, e às vezes, doloroso – já traçado pela Lei de Causa e Efeito –, amortecendo o impacto da dura realidade. Porque, nesses casos, quem sonha recordará apenas parcialmente as informações e conselhos recebidos dos Benfeitores Espirituais (daí, nem sempre se preocupar com a experiência onírico-mediúnica), mas o seu subconsciente registra, promovendo-lhe benefícios.

Carta 2
O despertar de novo dia

Maria Helena Rezende, filha adotiva do casal Lauro Moraes Mello e Olga Boaretto de Mello, residente em Sorocaba, SP, sempre foi uma criança doentia, apresentando grande dificuldade para falar e retardo na escolaridade.

Com o passar dos anos, já atingindo a maioridade, apenas conseguia escrever seu nome e mais algumas palavras, embora frequentando escolas especializadas.

Porém, seus pais nunca desanimaram, sempre esperançosos de verem a filha querida apresentar progressos no campo intelectual.

Quando essa esperança era maior, em face da aprovação da jovem em testes profissionalizantes, numa escola especializada da APAE de São Paulo, com início das aulas marcado para fevereiro de 1978, ela caiu gravemente enferma, acometida de leucemia aguda, vindo a falecer dentro de um mês, aos 6 de novembro de 1977.

Muito saudosos com a partida de Maria Helena, seus pais, espíritas, passaram a frequentar, com intervalos de poucos meses, as reuniões públicas do GEP, em Uberaba, na expectativa de receberem suas notícias. Estas sempre vieram, do punho de Benfeitores do Mundo Maior, em forma de pequenas informações de seu estado espiritual e da assistência que lhe era dispensada. Notícias curtas, mas suficientes para se transformarem em abençoado bálsamo para os seus corações.

Cinco anos se passaram. Somente após este período é que Maria Helena teve condições de se comunicar pessoalmente, pela escrita mediúnica, totalmente refeita de suas deficiências.

Em mensagem afetuosa, contou aos pais amados que a morte representou *o despertar de novo dia* para sua alma, liberada de um instrumento físico imperfeito... Mas, profundamente grata pelo imenso amor recebido no lar acolhedor, recordando sua posição de filha adotiva, nunca poderia esquecê-los, e entrega-lhes seu *coração de filha, chorando com jubiloso enternecimento por pertencer-lhes...*

Querido papai Lauro e querida mãezinha Olga, o tempo não apaga as marcas luminosas do amor gravadas no coração.

Sou eu mesma. A filha da ternura com que me criaram para o bem e para a transformação de que necessitava.

Sou eu mesma a lhes pedir para que me abençoem. Depois de tanto tempo, retorno ao convívio dos pais que a infinita bondade de Deus me colocou nos caminhos.

Filha adotiva! Quem diria isso, se nos amamos tanto?

Quem se referiria à semelhante condição entre nós, se fui a flor doente que recolheram no lar, nutrindo-me a vida com o orvalho das lágrimas de carinho com que me acompanharam a provação bendita, que me colocou novamente de pé na jornada do mundo?

Não sei dizer o que me vai no peito, agora que consigo escrever-lhes, passando no papel tudo de melhor que eu possa trazer na própria alma...

Sei, porém, que posso afirmar-me feliz por ter tido o aconchego dos braços amorosos com que ampararam a menina sempre doente, e organicamente prejudicada, que sempre fui na travessia última das aspirações e dificuldades no plano físico.

A liberação do instrumento imperfeito e bendito que me resguardava foi o despertar de novo dia...

Encontrei a continuidade de nossa união familiar no devotamento com que a benfeitora Maria de Jesus me recebeu nos braços de Avó e Mãe pelo coração. A saudade do lar terreno me senhoreava ainda todas as emoções...

Era o anseio de retornar ao papai Lauro e à mãezinha Olga, aos queridos irmãos Roberto e Lauro, e a tudo o que me constituía o mundo pequenino de filha doente que passou por nossa casa querida, ignorando, para a felicidade minha, o que pudesse ser saúde ou equilíbrio orgânico.

Poderia qualquer pessoa pesquisar-me os sentimentos e falar-me de minha condição real em nossa família e nunca entenderia o que fosse a palavra adoção!... Mas sabia que possuía um pai que me adorava, embora as imperfeições de meu corpo, e que poderia contar com o regaço de mãe que me habituou a buscar em sua compreensão o meu mais alto refúgio. E por isso que venho agradecer as noites de sacrifício que me deram, e os dias de proteção incessante com que me estimulavam a viver e sonhar sempre com a luz da esperança, no amanhecer do dia que raiou finalmente para mim.

Não, nunca me adotaram. Sou a filha que a mamãe Olga esperava, a criança feliz que desejou tanto fazê-los felizes!

Sou a companheira do lar a quem os irmãos inesquecíveis mimoseavam com as mais lindas lembranças, a menina encantada, não porque apresentasse algo de belo no mundo oculto dos meus íntimos pensamentos, mas encantada por haver encontrado os pais melhores do mundo, os pais que se esqueceram para que eu fosse constantemente lembrada no carinhoso cuidado da família inteira.

A querida mãezinha Maria de Jesus e o querido avô José Silveira Mello me fizeram ver toda a realidade, aqui na vida espiritual, e chorei de júbilo ao saber que fui tão amada quanto os filhos mais ditosos da Terra.

Almas belas, devotados benfeitores. A criança excepcional que lhes foi motivo de tanto trabalho agora lhes surge refeita a fim de atestar-lhes o reconhecimento que lhe vai no âmago do espírito.

A querida mãezinha Izaura aqui se encontra finalmente comigo, a me partilhar as orações com que me dirijo a Deus, rogando ao seu amor infinito os acobertem na luz da felicidade perfeita.

Obrigado ou muito obrigado seriam palavras sem qualquer símbolo que me expressassem a emoção. Por isso, falo-lhes de joelhos, pedindo aos mensageiros da vida superior os enriqueça de bênçãos constantes.

Querido papai Lauro e querida mãezinha Olga, estou bem e todos estamos bem porque nos amamos em Jesus na união para sempre.

Minhas notícias são pobres de expressão, porque faltam cores para materializar o que sinto; no entanto, entrego-lhes o meu coração de filha, chorando com jubiloso enternecimento por pertencer-lhes.

Pais queridos, aqui nestas frases simples fica palpitando o amor imenso que lhes traz a filha do carinho e das entranhas da alma com que me acalentaram no mundo, a sempre filha do coração,

MARIA HELENA REZENDE.

LEIA

Notas e Identificações

1 - Psicografia de Francisco C. Xavier, em reunião pública do GEP, Uberaba, Minas, na noite de 31/7/1982.

2 - *a provação bendita que me colocou novamente de pé na jornada do mundo. (...) na travessia última das aspirações e dificuldades no plano físico. (...) a liberação do instrumento imperfeito e bendito que me resguardava. (...) me fizeram ver toda a realidade, aqui na vida espiritual.* – Agora refeita, considerando bendita a sua provação, Maria Helena demonstra conhecimento da Lei de Causa e Efeito, plenamente consciente de suas últimas existências terrenas. Necessitava de um corpo doentio *(instrumento imperfeito)* em sua última encarnação *(travessia última)* para alcançar plena saúde espiritual.

O seu caso esclarece a situação real dos deficientes mentais no Mundo, carentes do amor de todos os que os cercam, para alcançarem a almejada cura espiritual.

Na literatura espírita, várias obras analisam e esclarecem esse importante tema, dentre elas: *O Livro dos Espíritos,* Allan Kardec, Questões 371 a 374; *Religião dos Espíritos,* Francisco C. Xavier, Emmanuel, FEB, Brasília, Cap. 6; *Nos Domínios da Mediunidade,*

F.C. Xavier, André Luiz, FEB, Cap. 25; *Chico Xavier - Dos Hippies aos Problemas do Mundo,* F.C. Xavier/Emmanuel, LAKE, São Paulo, Cap.14.

3 - *Benfeitora Maria de Jesus* – Benfeitora Espiritual.

4 - *Roberto e Lauro* – Irmãos.

5 - *Avô José Silveira Mello* – "Avô adotivo", falecido em 1920, pai de Lauro Moraes Mello. Maria Helena não o conheceu em vida material, pois nasceu em 24/12/ 1958.

6 - *mãezinha Izaura* – Izaura Moraes Mello, mãe de Lauro, falecida em 19/4/1969.

Carta 3
"Juca, você está livre"

Quando Zeca Andrade, dinâmico confrade da cidade paulista de Mogi Mirim, esteve em Uberaba, Minas, a 1º de abril de 1983, na expectativa de receber, pelo médium Chico Xavier, alguma mensagem de seu progenitor ao povo de sua cidade, não esperava que ele, Juca Andrade, desencarnado em 1978, enviasse, em longa carta, tantas informações preciosas, entremeadas com manifestações de muito carinho aos mogimirianos e com palavras de afeto e estímulo ao filho e demais companheiros que estão à frente das múltiplas tarefas assistenciais e doutrinárias que ele plantou na Terra.

Devotado e perseverante seareiro, Juca transmitiu

muito amor aos mais necessitados, apesar de não dispor de muito tempo, pois esteve sempre sobrecarregado com compromissos familiares – pai de 10 filhos – e profissionais, atuando com muito zelo na função de conferente, da Estação de Estrada de Ferro da Companhia Mogiana (hoje, Fepasa).

Não será difícil, portanto, entender as razões da assistência carinhosa que Juca Andrade recebeu do Plano Espiritual, em seu processo desencarnatório, narrado minuciosamente por ele mesmo, quando, ao lado de tantos outros grandes espíritas de nosso país, surgiram os dedicados Benfeitores Batuíra e Dr. Bezerra de Menezes, desatando os últimos laços que o prendiam ao corpo físico. E, logo em seguida, ao levantar-se em Espírito, ele ouviu dos lábios do "Kardec brasileiro" a frase inesquecível: "Juca, você está livre".

Meu caro Zeca, meu filho, aqui estou associado às preces desta casa de fraternidade e paz.

Para você e para a nossa gente do "Jesus e Caridade", as minhas notícias não são novidades. Acontece que você e os amigos de Mogi Mirim queriam qualquer página escrita pelas mãos mediúnicas do amigo Chico e não pude esquivar-me. Aliás, não posso esquecer que de

Mogi a Uberaba não é distância de um grito. Vamos assim ao que mais nos interessa, porque informações de pai espírita gastam tempo.

Não tenho por onde começar, porque estou na convivência de vocês todos, agora tanto quanto antes.

Às vezes, me dava ao luxo de pensar que a desencarnação seria descanso. Ideia de burro cansado, porque sendo a morte um banho de renovação sem milagres, as nossas atividades não encontrariam por aqui outra ordem que não seja a de marchar para diante. E marchar sozinho para diante deve ser brinquedo de criança. Estamos todos ligados uns aos outros, para não dizer acorrentados. O passado fala no presente e o presente conversará no futuro.

Impossível deixar companheiros à distância e partir sem rumo certo à procura de um céu inexistente, porque os estados de cada um por dentro da própria alma é que traçam o lugar em que nos encontramos. Você, meu filho, conhece a extensão de nossos compromissos com a Doutrina Espírita e por isso compreenderá que em mim coexistem o pai e o trabalhador. Não posso separar as obrigações de um e outro.

As preces e os cuidados de nossa Car-

mela me resguardaram contra qualquer manifestação de receio ou desânimo. Creia, porém, que falamos talvez muito no Mais Além, sem compreender-lhe as complexidades. Noto, quase com humor, que o Além para mim foi permanecer no mesmo lugar. Aliás, seria ingratidão desertar da cidade que nos deu e nos dá tanto ainda, sobretudo, em amor e entendimento.

Reconheci que o meu carinho de pai não deveria esmorecer. Em nossa agremiação continuam você e a nossa estimada Maria José, o Dulphe, o Airton e a nossa prezada Sílvia, o Paulo, o Edson, e a nossa Helen prossegue representando o nosso ponto de serviço mais urgente, pelas necessidades espirituais em que a filhinha renasceu.

A nossa Carmela é a mesma dedicação maternal que conhecemos e contamos com vocês na proteção à querida irmã, que as vidas anteriores não permitem usufruir a atual existência com a precisa segurança. Confiamos nos filhos amigos e nas noras que o Senhor nos deu por filhas do coração, e estamos certos de que não seremos desapontados. E, além de nossa Helen, temos os outros parentes do coração, todos aqueles que se abrigam entre as paredes de nossa organização.

Muitas vezes surpreendo você a indagar-se sobre a maneira de vencer na estrada das contas e compromissos. Ainda assim não tema. Lembre-se de que nos dias mais difíceis, a nossa fé parecia maior e com a nossa fé mais ampla, o auxílio da Providência Divina, em nossa instituição, fazia sobrar alegrias e bênçãos.

Muita coisa por aí pode ter mudado. Inflação, conflitos administrativos, tabelas de preço e lutas inesperadas vão trazendo mais lutas, mas Deus não mudou. É o mesmo Pai de Infinito Amor que mandava colocar em nossas mãos tanto a moeda para comprar a farinha, quanto a força para fazer o pão ou adquiri-lo com segurança.

Não tenham medo da vida para que a vida não tenha medo de nós. A obra não pode empalidecer. É preciso crescer para auxiliar o próximo. E creiam vocês todos que, estimulados para o bem de todos, o crescimento não se nos fará motivo a qualquer vaidade. Tudo aquilo que está feito é a caridade com Jesus e tudo o que pudermos fazer será sempre Jesus e a Caridade.

No término de minhas forças, acreditei que a fadiga havia chegado. Não era fadiga. Era desgaste da engrenagem de que me utili-

zava para trabalhar sem consultar o relógio. As pernas enfraqueceram de tantas caminhadas que se somavam umas às outras e o coração balançou no peito, como a pedir férias. Não conseguia, porém, pensar nisso. A dor não tem dias santos. E era preciso movimentar-me.

Muitos amigos me consideravam fanático, no entanto, era necessário fixar-me no que devia efetuar e a conversa, mesmo bonita, de nada me valia se os diálogos com os amigos não tivessem o adubo da beneficência.

Cheguei ao fim do corpo, usando remédios por obrigação, porque nunca admiti outro médico que tivesse mais autoridade que a de Jesus Cristo. E, por essa razão, entreguei-me aos desígnios d'Ele, nosso Divino Mestre e Senhor. Estava muito lúcido e atento a fim de observar o que vinha a ser a última hora do corpo.

Entretanto, nos derradeiros trâmites do meu processo de liberação, reconheci-me um tanto modificado. Minha visão alterou-se. Pensava com hesitação. A incerteza me dominava.

Em dado momento, vi-me quase devolvido à condição de criança. Sentia-me no colo da mamãe Albina, e a avó Mariquinha estava perto. Conversavam comigo, mas eu trazia o pensamento em vocês e nada escutava. Queria chamar por você e pelo Airton, e ultimar recomendações, mas a voz estava calada por dentro de mim. Só a atenção me obedecia. Então imaginei que sonhava. Não era homem para me entregar a qualquer fantasia. Ignorava que me achava entre duas vidas a lutarem por dentro de mim, uma com a outra. A visão da mãe Albina me impelia para o Mundo Espiritual, mas as vozes das crianças, embora de longe, me chamavam para a Terra.

Por fim, cessou a luta e rendi-me sem condições. O corpo abatido não mais me serviria. Era preciso saber agradecer-lhe quanto me havia doado em tantos anos abençoados de serviço e atender aos apelos novos. Como se fosse impressionado por uma paisagem, em cuja realidade não acreditava, vi amigos chegando...

Você compreenderá como dói observar tantos prodígios sem possibilidades de comunicar-se com os familiares. Reconheci antigos companheiros que julguei me visitassem para uma oração de fraternidade e esperança. Eram eles muitos, mas de momento, lembro-me de que estavam junto de nós o Lameira de Andrade e o Américo Montagnini; o Onofre e Gracinda Batista, nossos irmãos de Itapira; o Tio Paco, de Avaré; o Marrone, de Campinas; o Cairbar Schutel e Mariquinha Perche, de Matão; o Romeu do Amaral Camargo, o Vinícius, o Elói Lacerda e tantos outros amigos.

Eles se davam as mãos em torno de mim, como se expressassem desse modo o abraço que me transmitiam. Um suave calor me revigorou as energias e vi o nosso respeitável Bezerra de Menezes ao lado do nosso Batuíra, que penetrando a roda fraternal, me tocavam no corpo com gentileza, qual se me cortassem algo na pele insensível. Aquela formação de amigos entrou em prece, feita em voz alta e, tocado por uma alegria misturada de dor, ergui-me do corpo, como quem se levantava do leito com recursos suficientes para saudar os circunstantes. Bezerra de Menezes, com a bondade paternal que lhe conhecemos, tocou de leve em meus ombros e disse sorrindo: "Juca, você está livre".

Então compreendi tudo e o velho coração rebentou em lágrimas. Eu não queria liberdade, queria permanecer caminhando em nossa querida cidade de Mogi Mirim, de rua em rua, alertando os amigos das boas obras para que a máquina não parasse. Mas a mãezinha Albina me reconfortou e me convidou a seguir os amigos, porque não me seria conveniente acompa-

nhar aquele corpo que encontrara finalmente a parada de repouso. Agradeci, chorando, aquele companheiro que seguiria para um destino diferente do meu, recordei tudo quanto me dera em resistência nos dias mais atribulados das nossas tarefas e segui para fora...

Só então consegui adormecer, ignorando de que modo. Adormeci sonhando com o povo amigo que me tutelou, ou melhor, a todos nos tutelou com bondade e acordei em outra dimensão da vida, que prossegue sem pausa. E pedi então a todos os amigos me auxiliassem a voltar para o nosso refúgio de paz e trabalho, até que obtive permissão para continuar com vocês, agora. Até quando? Só Deus sabe. O que sei é que a caridade é um processo desconhecido geralmente no mundo – o processo de sermos felizes, fazendo os outros consolados e felizes.

Ah! meu filho, quanto puderem façam o bem, com aquele desprendimento que a nossa Carmela e vocês me ensinaram.

Tenho encontrado vários amigos. A nossa irmã Yolanda vem trabalhando pela paz do nosso amigo Massucci, e muitas vezes me fala com respeito a ele e aos filhos queridos. O nosso Guedes continua sendo para mim o companheiro incansável de sempre.

Filho, mais uma vez peço a vocês pela nossa Helen e vou terminar. Não posso ser o dono da noite, quando não sou dono nem de mim mesmo.

A todos os nossos familiares e irmãos de ideal e trabalho, o meu abraço assinalado pelo calor de meu coração reconhecido, e receba com todos os seus irmãos e com todos os nossos amigos o carinho e a saudade, a esperança e o devotamento do pai e servidor de sempre em Nosso Senhor Jesus Cristo.

Sempre reconhecidamente, o velho companheiro,

JUCA ANDRADE.

JOSÉ ANTÔNIO ANDRADE JÚNIOR.

LEIA

NOTAS E IDENTIFICAÇÕES

1 - Carta psicografada pelo médium Francisco C. Xavier, na noite de 1°/4/1983, em reunião pública do Grupo Espírito da Prece, Uberaba, Minas.

2 - *Zeca* – José Andrade, mais conhecido por Zeca, filho de Juca, é o atual presidente da Associação Espírita "Jesus e Caridade", de Mogi Mirim. Muito

prestativo, forneceu-nos, em entrevista fraterna, as informações que se seguem.

3 - *Carmela* – Carmela de Souza Janini, casou-se com Juca Andrade em 1914 e reside em Mogi Mirim.

4 - *Maria José* – Esposa de Zeca.

5 - *Dulphe* – Filho, residente em S. José dos Campos, SP.

6 - *Airton* – Filho, residente em Mogi Mirim.

7 - *Sílvia* – Esposa de Airton.

8 - *Paulo* – Filho, residente em Marília, SP.

9 - *Edson* – Filho, residente em Mogi Mirim.

10 - *Helen (...) que as vidas anteriores não permitem usufruir a atual existência com a precisa segurança.* – Filha, portadora de enfermidade crônica, reside com sua progenitora. Ele esclarece, consolando a família, que a causa básica da enfermidade está nas existências passadas de Helen.

11 - *(...) temos os outros parentes do coração, todos aqueles que se abrigam entre as paredes de nossa organização.* – Juca revela em palavras o que ele viveu e sentiu em sua última vida terrena. Amou não só os familiares, dedicando-se também a uma numerosa família de corações sofredores. As crianças excepcionais do Lar Espírita, os velhinhos e as velhinhas do antigo Al-

bergue, e os moradores da Vila Paim foram aqui carinhosamente lembrados.

12 - *Muitos amigos me consideravam fanático* – Juca era tão perseverante no trabalho assistencial, que, realmente, era considerado fanático por muitos. Zeca Andrade contou-nos: "– Também eu não aceitava toda aquela dedicação de meu pai, mas agora sei que ele tinha razão".

13 - *Sentia-me no colo da mamãe Albina e a Vó Mariquinha estava perto. (...) Queria chamar por você e pelo Airton, e ultimar recomendações, mas a voz estava calada por dentro de mim.* – Nos últimos dias de sua existência terrena, hospitalizado na Santa Casa de Mogi Mirim, Juca não mais falava. Porém, poucas horas antes do desenlace, na madrugada de 19/7/1978, Airton, seu acompanhante, ouviu seu pai balbuciar, bem baixinho, o nome de Albina. Albina Gazeo Andrade, mãe de Juca, faleceu em 1952. Maria de Souza, Mariquinha, sogra de Juca (avó de Zeca), faleceu há 35 anos, aproximadamente.

14 - *mas as vozes das crianças, embora de longe, me chamavam para a Terra.* – A sua ligação amorosa e mental com as crianças no Lar é aqui patenteada.

15 - *O corpo abatido não mais me serviria. (...) vi amigos chegando... Reconheci antigos companheiros que julguei me visitassem para uma oração de fraternidade e*

esperança. – Juca mantinha fraternal amizade com numerosos confrades de outras cidades, permutando cartas ou visitando-os em suas viagens. E, como vemos, muitos deles o recepcionaram no momento de seu regresso à Vida Maior, em testemunho de apreço e carinho, sendo relacionados na carta familiar.

16 - *Lameira de Andrade* – Dr. Pedro Lameira de Andrade (Rio de Janeiro, RJ, 1880 - São Paulo, SP, 1938) , advogado, tornou-se famoso orador espírita. Dirigiu a revista doutrinária *Verdade e Luz,* fundada por Batuíra, em 1890. Foi sócio fundador e orador oficial da Federação Espírita do Est. de São Paulo. É um dos autores espirituais das obras *Seareiros de Volta* (W. Vieira, Espíritos Diversos, FEB, Rio) e *O Espírito da Verdade* (F.C. Xavier, W. Vieira, Espíritos Diversos, FEB).

17 - *Américo Montagnini* – Prof. Américo Montagnini (S. João da Boa Vista, SP, 1897 - São Paulo, SP, 1966), dentre outras importantes atividades doutrinárias, assumiu, em 1939, a presidência da Federação Espírita do Estado de São Paulo, "cargo que exerceu com raro descortino até a data da sua desencarnação." *(Grandes Vultos do Espiritismo,* Paulo Alves Godoy, Edições FEESP, São Paulo, SP, 1ª ed., 1981, p. 33).

18 - *Onofre e Gracinda Batista, nossos irmãos de Itapira* – O casal Onofre Batista (Portugal, ?-1886 - Itapira, SP, 1965) e Gracinda Batista (Portugal,

? - Itapira, 1946) fundou, em 1936, na cidade de Itapira, o Sanatório Espírita "Américo Bairral" (hoje, Fundação). (Ver dados biográficos completos em *Reencontros,* Francisco C. Xavier, Espíritos Diversos, Hércio M.C. Arantes, IDE, Araras, SP, Cap. 20.) Este devotado casal estava presente à reunião do GEP, em Uberaba, na noite em que Juca Andrade redigiu sua carta, pois, num diálogo rápido entre Chico Xavier e Zeca Andrade, o médium disse-lhe: "O Onofre e a Gracinda estão ao lado de você".

19 - *Tio Paco, de Avaré* – irmão de Albina G. Andrade, portanto tio de Juca, residia em Avaré, SP, onde faleceu há muito tempo.

20 - *Marrone, de Campinas* – "Servílio Marrone nasceu em Campinas, SP, a 26/4/1912, aí desencarnando a 4/1/1955. Espírita dedicadíssimo, ministrava aulas de Evangelho aos jovens da Mocidade Espírita Allan Kardec e se entregava, com devotamento e abnegação ao trabalho de passes nas casas das pessoas enfermas. Foi, justamente com Gustavo Marcondes, um dos fundadores do Centro Espírita Allan Kardec, no qual ocupava o cargo de Secretário, até o dia de sua desencarnação." *(Gabriel,* Francisco C. Xavier, Elias Barbosa, Gabriel C. Espejo (Espírito), IDE, Araras, SP, p. 41.)

21 - *Cairbar Schutel e Mariquinha Perche, de Matão* – Cairbar de Souza Schutel (Rio de Janeiro, 1968 -

Matão, SP, 1938) foi um dos maiores vultos do Espiritismo no Brasil. Em Matão, fundou a Casa Editora O Clarim e os periódicos: *O Clarim* e a *Revista Internacional de Espiritismo.* Foi o pioneiro da divulgação espírita pelo rádio. Redigiu e editou 17 valiosas obras doutrinárias. É co-autor, espiritual dos livros: *O Espírito da Verdade* (F. C. Xavier e W. Vieira, Espíritos Diversos, FEB), *Seareiros de Volta* (W. Vieira, Espíritos Diversos, FEB), *Luz no Lar* (F.C. Xavier, Espíritos Diversos, FEB).

Maria Perche (1899-1934), mais conhecida por Mariquinha, trabalhou, juntamente com sua irmã D. Antônia (Antoninha) Perche da Silveira, desde a idade de 16 anos, na redação de *O Clarim* e como secretária de Cairbar Schutel.

22 - *Romeu do Amaral Camargo* – (Rio Claro, SP, 1882 - São Paulo, SP, 1948) Professor, advogado, jornalista e escritor. Primo de Pedro de Camargo (Vinícius). Adepto do Protestantismo, ordenado diácono em 1913, converteu-se ao Espiritismo em 1923. Colaborou com a revista Reformador e outros órgãos da imprensa espírita. Em 1936, foi eleito 1º secretário da recém-fundada Federação Espírita do Estado de São Paulo. Deixou 4 preciosas obras: Protestantismo e Espiritismo à luz do Evangelho, De cá e de lá, Salvação pela fé ou pelas obras? e Um só Senhor. É um dos autores espirituais dos livros: Seareiros de Volta

(W. Vieira, Espíritos Diversos, FEB) e Falando à Terra (F.C. Xavier, Espíritos Diversos, FEB).

23 - *Vinícius* – Pedro de Camargo, mais conhecido pelo pseudônimo de Vinícius (Piracicaba, SP, 1878 - São Paulo, SP, 1966), foi grande educador, orador, jornalista e escritor espírita. Dirigiu o jornal O Semeador e presidiu o Instituto Espírita de Educação. Escreveu as seguintes obras: Em Busca do Mestre e Na Escola do Mestre, das Edições FEESP, São Paulo; Em Torno do Mestre, O Mestre na Educação, Na Seara do Mestre e Nas Pegadas do Mestre da FEB.

24 - *Eloi Lacerda* – Eloy Lacerda (Itapeva, SP, 1879 - São Paulo, SP, 1944) foi professor primário, diretor de Grupos Escolares e aposentou-se quando lecionava no Reformatório Modelo da Capital paulista. Pertenceu ao Departamento Cultural da Federação Espírita do Estado de S. Paulo, tendo sido gerente da Livraria Allan Kardec e tesoureiro do Abrigo Batuíra. Colaborou assiduamente em diversos órgãos da imprensa espírita e foi expositor bastante solicitado, tanto na Capital, como no interior paulista.

25 - *Bezerra de Menezes* – Dr. Adolfo Bezerra de Menezes Cavalcanti (Vila Riacho do Sangue, Jaguaretama, CE, 1831 - Rio de Janeiro, RJ, 1900), grande vulto do Espiritismo brasileiro, foi médico, político, jornalista, conferencista e escritor. Até os nossos dias, é muito conhecido por dois justos cognomes:

"Kardec brasileiro" e "Médico dos Pobres". Escreveu várias e importantes obras doutrinárias. É um dos Benfeitores Espirituais mais lembrados e amados pela família espírita brasileira. No Plano Maior, continua trabalhando intensamente; especificamente no campo literário, tem enviado à Terra, através de vários médiuns, romances e páginas doutrinárias de grande valor.

26 - *Batuíra* – Antônio Gonçalves da Silva (Portugal, 1839 - São Paulo, SP, 1909), mais conhecido pelo cognome Batuíra, foi um dos grandes pioneiros do Espiritismo no Brasil. Jornalista, conferencista, médium curador, prestou relevantes serviços assistenciais na capital paulista. Fundou o jornal (mais tarde, revista) *Verdade e Luz,* em 1890. É o autor espiritual de *Mais Luz* (Francisco C. Xavier, GEEM, S. Bernardo do Campo, SP) e co-autor de várias outras obras recebidas por Chico Xavier.

27 - *Entretanto, nos derradeiros trâmites do meu processo de liberação, reconheci-me um tanto modificado. Minha visão alterou-se. Por fim, cessou a luta e rendi-me sem condições. O corpo abatido não mais me serviria.* – Nesse momento, deu-se a morte física de Juca. A sua visão, agora totalmente espiritual, se amplia e vê os amigos chegando... Mas a sua desencarnação não estava completa, pois faltava uma operação final: o corte do cordão fluídico (prateado) que liga o cérebro do cor-

po físico ao cérebro do corpo espiritual (perispírito). Daí a pouco ele viu entrando os abnegados Dr. Bezerra e Batuíra... *eles me tocavam no corpo com gentileza, qual me cortassem algo na pele insensível.* Em seguida, Juca-Espírito consegue erguer-se, não mais preso ao corpo inerte... ele estava totalmente liberto! (Ver *Obreiros da Vida Eterna,* Francisco C. Xavier, Espírito de André Luiz, FEB, Cap. 13.)

28 - *A nossa irmã Yolanda vem trabalhando pela paz do nosso amigo Massucci* – Oscarlino Massucci, confrade atuante, é um dos pioneiros do movimento espírita de Mogi Mirim, tendo participado da fundação do Centro Espírita Regenerador e Caridade (hoje, Associação Espírita Jesus e Caridade) em 1926. Sua esposa Yolanda, espírita devotada, desencarnou há 4 anos.

29 - O *nosso Guedes continua sendo o companheiro incansável de sempre* – João de Campos Guedes, falecido há 4 anos, também participou da fundação do "Jesus e Caridade", sempre pertencendo à sua Diretoria.

30 - *José Antonio Andrade Júnior - Juca Andrade* – Nasceu em Santo Antônio de Posse, comarca de Mogi Mirim, a 05/02/1895, e desencarnou às 6 horas da manhã do dia 19/7/1978, em Mogi Mirim. Foi médium intuitivo, psicofônico, vidente e de cura (passista). Esteve à frente de numerosas realizações, den-

tre as quais relacionaremos: 1. Fundação do Centro Espírita Regenerador e Caridade, em 03/05/1926, cujas sessões eram realizadas em sua residência. 2. Construção da sede própria do Centro referido, mudando o nome para Associação Espírita Jesus e Caridade, em 26/7/1933, onde funciona até hoje. 3. Em 1934, construção do Albergue Noturno, ao lado da Associação, hoje transformado em Lar de Velhinhos. 4. Em 1947, fundação da Mocidade Espírita. 5. Em 1958, fundação do Grupo Espírita de Santo Antônio de Posse. 6. Em 1960, construção de 14 casas para pobres na Vila Paim. 7. Em 1973, conclusão e inauguração do Lar Espírita Maria de Nazareth, situado à Rua Dr. Bezerra de Menezes, que abriga 30 crianças excepcionais. 8. De 1928 a 1977, realização do Natal dos Pobres, com distribuição de gêneros alimentícios. 9. Distribuição gratuita de remédios homeopáticos. 10. Almoço aos pobres nas datas natalícias de Allan Kardec e Bezerra de Menezes.

31 - Várias vezes, Juca Andrade solicitou orientação aos Espíritos Protetores, por intermédio de Chico Xavier, sempre recebendo palavras de conforto e estímulo. Estas mensagens psicografadas estão cuidadosamente arquivadas no "Jesus e Caridade" e, encerrando nossas observações deste Capítulo, transcreveremos duas delas:

"Filho, Jesus nos abençoe.

Serviço do bem é e será sempre a nossa bênção maior. Devotados Benfeitores da Vida Maior estão, como sempre, cooperando na sustentação de suas forças.

Sigamos para diante, trabalhando e servindo, confiando no Senhor, sempre e sempre,

(a) Bezerra.”

“Meus filhos, Jesus nos abençoe.

Quanto possível, estudemos mais amplamente a obra de Allan Kardec, a fim de que o discernimento espírita nos auxilie na condução das tarefas gerais que nos foram confiadas.

Devotados Benfeitores Espirituais estão cooperando em nosso favor, e devemos confiar na proteção de Jesus, hoje e sempre”.

Carta 4
“É fácil morrer, mas não é fácil desencarnar”

“Meu filho Ivinho tinha 18 anos, era calmo, sem vícios e cursava o 1º ano de Engenharia Mecânica da Universidade Federal de Minas Gerais.

No dia 26 de novembro de 1978, às 6 horas da manhã, ele dirigiu-se à Lagoa da Pampulha, de automóvel, em companhia de dois amigos, os irmãos Bernardo e Aguinaldo, para praticarem remo. Mas, eis que um motorista de ônibus avançou o sinal... e pronto! Começou a minha tristeza. Aguinaldo sobreviveu, Bernardo faleceu no local do acidente e Ivinho, após permanecer 48 horas em UTI, também faleceu.”

Assim, D. Neide de Barros Correia Menezes, residente em Belo Horizonte, MG, sintetizou seu doloroso drama, em carta a nós dirigida, quando lhe solicitamos autorização para divulgar as mensagens mediúnicas de seu filho Ivo, recentemente psicografadas por Chico Xavier.

E, nesta mesma carta, ela concluiu seu relato com estas palavras tão significativas:

"Só no Espiritismo encontrei a explicação para tudo, e, através de Chico Xavier, a esperança de outra vida."

Após uma *Primeira Carta* de rápidas notícias, recebida na madrugada de 15 de maio de 1982, na qual prometia voltar a escrever numa próxima oportunidade, com maior disponibilidade de tempo, ele cumpriu a promessa e tem enviado elucidativas cartas aos seus pais – também úteis a todos nós, pelos ensinamentos de que são portadoras –, como veremos a seguir:

Segunda Carta

Querida Mãezinha Neide, estou a uni-la com o papai Adalberto em meus votos a Deus por nossa felicidade.

Mãe, sei que você anda desejosa de notícias pormenorizadas, mas estou tendo dificuldades para isso. Não é preciso ser mágico para adivinhar quantas mães se acham aqui à procura dos filhos, o que me leva a ir escre-

vendo, pouco a pouco, as impressões que aspiro a fornecer.

Mamãe, é fácil morrer, mas não é fácil desencarnar. A pessoa continua tão profundamente ela própria, que muita gente chega, por aqui, a não admitir haja deixado a roupa física para envergar outros trajes. É uma graça e uma lástima.

Amigos tenho encontrado e reencontrado quase que aos montes, mas a linguagem de quase todos eles é o idioma de quem ficou no quarto que não mais lhe pertence, nos familiares que talvez não mais conheça, nas camisas prioritárias, nos passeios habituais... E temos de engolir o que digam, porque o fazem com tamanha sinceridade, que se aprende a resguardar qualquer risinho de estranheza para depois. É neste ambiente que estou refazendo energias.

O Bernardo e eu continuamos juntos. Saímos para remar e prosseguimos remando de outro modo. Fomos acolhidos pela vovó Maria Celeste, que nada tem de avó. É uma jovem de grande beleza, com grande maturidade espiritual, situação muito rara naqueles que mostram rosto bonito. Acontece que ela já contou algum tempo através de recessão e por isso parou no tempo que julga seja o mais valioso para ela, no setor da apresentação.

Quando acordei por aqui, recolhendo o amparo que ela me proporcionou com o meu avô Barros, o nosso encontro foi um tanto inamistoso. Ambos se esforçavam por enquadrar-me no conhecimento da morte; e tanto eu quanto o Bernardo reagimos contra. A vovó Celeste, que não pôde deixar de rir francamente quando lhe declarei que estava mais vivo do que nunca, e que exigia meu barco e minha rede de volta a fim de regressarmos para a sua companhia e para a companhia de meu pai Adalberto, do Júnior e da Maria Ângela, porque eu não encomendara morte nenhuma, e o que eu queria mesmo, além do retorno à família, era me casar e ser feliz.

Os nossos interlocutores se entreolharam com o sorriso de quem contava uma anedota infeliz com muita educação e não se fizeram intransigentes. Apenas disseram que conheceríamos a realidade por nós mesmos, e os dois se incumbiram de fazer do seu rapaz este moço acanhado e talvez rabugento que passei a ser.

Mamãe, ore por nós. Dizem que quem pratica aceitação adquire uma fortaleza invejável para superar todos os problemas. Preciso dessa ginástica. Não estou infeliz, mas ainda um tanto inconformado com aquele negócio de acidente, e mais de quarenta horas com os médicos a me fazerem a cabeça, como se eu estivesse entregue a uma turma de santos crentes. Foi um problema. Não estou de cabeça nova, mas estou em outro corpo.Veja lá se isso é compreensível.

Estou bem, e não hesito em comunicar-lhe que estou bem, mas, no íntimo, estou ainda um tanto bem mal, porque não me desvencilhei dos meus pensamentos possessivos em torno de tudo o que considerava de minha propriedade. De qualquer modo, não se impressione; já sei que isso é comum por aqui. A morte do corpo, para a maioria dos que estão desencarnados, não se faz de modo violento, quanto à incorporação dela aos nossos conhecimentos usuais. A mudança para quem não curtiu cama ou velhice, enfeitada de enxaquecas, há de ser lenta, e ainda estou nessa.

Perdoe-me haver escrito tanto sobre isso, mas estou diante de seu carinho, e nós ambos em família sempre tivemos assuntos tristes para fazer alegria e casos felizes para chorarmos. Que Deus me transforme para ser como devo ser.

Lembranças aos irmãos, e envolvendo o seu carinho de Mãe com a bondade do papai Adalberto, deixa-lhe umas boas dúzias de beijos o seu filho, sempre seu,

IVO.

NOTAS E IDENTIFICAÇÕES

1 - Psicografada pelo médium Francisco C. Xavier, em reunião pública do GEP, Uberaba, a 30/10/1982.

2 - *Papai Adalberto* – Adalberto Guimarães Menezes.

3 - *Bernardo* – Bernardo Vieira Maciel.

4 - *Vovó Maria Celeste* – "Maria Celeste de Barros Correia, bisavó de Ivinho, desencarnada em 1955, era mais conhecida por Sinhá, o que me causou surpresa, pois nem o próprio Adalberto, nem mesmo o Ivinho sabiam o nome verdadeiro de minha avó", escreveu-nos D. Neide.

5 - ... *Vovó Maria Celeste, que nada tem de avó. É uma jovem de grande beleza (...) parou no tempo que julga seja o mais valioso para ela, no setor da apresentação.* – Este palpitante tema é perfeitamente esclarecido por André Luiz (Espírito) no Capítulo: "Linhas morfoló-

gicas dos desencarnados", da Segunda Parte de seu livro *Evolução em Dois Mundos,* Francisco C. Xavier e W. Vieira, FEB, Brasília.

6 - *Avô Barros* – Mário Barros, avô materno, desencarnado em Recife, PE, aos 19/6/1970.

7 - *Júnior e Maria Ângela* – Irmãos.

8 - *estou ainda um tanto bem mal, porque não me desvencilhei dos meus pensamentos possessivos em torno de tudo o que considerava de minha propriedade. (...) isso é comum por aqui.* – Este, um dos ensinamentos mais preciosos de suas cartas, alertando-nos para os sérios prejuízos à alma liberta do jugo carnal, quando muito apegada aos bens materiais.

9 - *Ivo* – Ivo de Barros Correia Menezes, nasceu em Recife, a 1°/01/1960 e desencarnou em Belo Horizonte, a 28/11/1978.

Terceira Carta

Querida Mamãe Neide,

O momento é de nosso diálogo. Penso no papai Adalberto e sinto-me abençoado pelos dois.

É muito difícil escrever de uma vida para outra.

O nosso Bernardo e eu ainda não estamos numa boa. A Vovó Celeste e o Vovô Mário Barros, com outros amigos, continuam a falar-nos pacientemente. Aquela agressividade e aquele desapontamento, dos primeiros dias aqui, já passaram. Concluímos que não adiantava recalcitrar. A verdade é que não queríamos nada com aquelas ponderações dos avós amigos, sobre a morte que não havíamos encomendado.

Pusemos banca de malcriação, reclamamos, choramos e debatemos com os nossos benfeitores contrariando-lhes os pontos de vista, mas a verdade é um muro de pedra, contra a qual nada se pode fazer senão curvar a cabeça e aceitar os fatos na dureza com que se revelam.

O que é certo é que o Bernardo e eu saímos para "pescar e fomos ambos pescados". Agora imagino que os peixes, se falassem, não se mostrariam muito resignados e nem felizes em se verem fora da água que lhes serve de moradia. O companheiro e eu permutamos muitos comentários negativos, mas acabamos cedendo. Impossível atacar a realidade insofismável. Imagino que não somos os únicos por aqui, nestas condições. Basta que se escute a maioria das pessoas na Terra sobre a questão em que nos vimos. Um questionário bem feito mostraria que cem por cento das criaturas de nosso conhecimento repudiariam a opção da morte, excetuando os loucos que se atiram aos propósitos do suicídio.

A vida pode estar cara, as feiras estarão inacessíveis, os preços de tudo vão enforcando muita gente e as dificuldades de vivência e sobrevivência se acumulam por toda parte, mas ninguém quer largar o chão do Planeta, agarrando-se a ele com unhas e dentes. Como observa, querida Mamãe Neide, seja em Recife ou em Belo Horizonte, o negócio é o mesmo: viver e desfrutar a melhor parte da existência.

Que os céus aqui são maravilhosos, não duvide; que há muita gente boa interessada em nos auxiliar, pode estar certa; de que o estudo e o trabalho são vantagens para quem os deseje, permaneça convencida de que é assim mesmo; no entanto, o chamado mundo azul dos astronautas é o nosso mesmo.

Felizmente, já posso falar isso gracejando, porque não seria justo deixar o tempo correr e imitar a locomotiva que não muda de caminho e nem de direção. Estamos melhorados, mas precisamos de reinstalação nos pensamentos novos e desalojar os antigos.

De minha parte estou bem, mas ficaria mais contente se estivesse em sua companhia e na companhia de meu pai comprando alguma arenga com o Júnior ou com a Maria Ângela. De qualquer modo, fiquei ciente de que o seu carinho fez orações por nós pedindo para que fôssemos induzidos a aceitar a desencarnação, e pelo menos induzido já me encontro.

Para os exercícios da aceitação total me falta pouco, e já sei que vou ser promovido à condição de bom aluno destas verdades daqui, que não se compatibilizam com os hábitos que cultivamos. Compreendo que meu pai lerá o que escrevo, e ficará naquela da dúvida luminosa do amor que se crê sonhando quando escuta a realidade sem desejá-la, mas você, Mãezinha Neide, já sabe que estou com melhores pontos e por isso venho desejar-lhe aquele Dia das Mães recheado de flores e doces, tão de meu gosto para alegrá-la.

Estamos bem e isso começa a nos reconfortar. O Bernardo pensa na faixa de minhas ideias, à maneira do carbono amigo, mas eu queria que ele me advertisse, e acabasse brigando para que eu veja com mais segurança o que nos aconteceu e está acontecendo.

Aqui, Mamãe, termino com as lembranças do Vovô Mário.

Desejo muita tranquilidade e alegria ao papai Adalberto e aos irmãos queridos, e peço aos amigos que me possam fazer o favor de reconfortá-la, entregar-lhe o meu carinho e o meu reconhecimento de todos os dias.

Muitos beijos do seu filho e companheiro do coração,

Ivo.

LEIA

Notas

10 - Psicografada pelo médium F.C. Xavier, em reunião pública do GEP, Uberaba, na madrugada de 30/4/ 1983.

11 - *em Recife ou em Belo Horizonte* – Nestas duas capitais reside a grande maioria de seus familiares.

Quarta Carta

Querida Mãezinha Neide,

A hora segue para as matinas, mas não me furto à necessidade de fazê-la ciente, tan-

to quanto ao papai Adalberto, que vou melhor, mais flexível.

O Bernardo e eu concluímos que reagir contra a realidade seria o mesmo que tentar impedir o curso de um grande rio com um galho de avenca. A querida vovó Maria Celeste e o avô Barros nos convenceram.

Já sei que a vovó é minha querida bisa, entretanto, ela prefere que a chamemos por avó Maria Celeste. Isso é um encanto, quando a gente acredita por aí que os mais experimentados nas rodovias do tempo são criaturas apáticas e vencidas pelos janeiros. Bobagem. Os mais curtidos no tempo, aqui são vanguardeiros. Jovens refeitos. Fica encanecido quem quer ou quem ainda não tenha vencido as tentações.

Gradativamente vou conhecendo as peculiaridades do meu campo de ação e descubro que o íntimo da pessoa é que manda. Muito menino aqui está maduro para ensinar; no entanto, há muita gente adulta que se esconde em máscaras enrugadas e em cabelos brancos, com receio de acordar emoções negativas em matéria de sentimento. A verdade, mamãe Neide, é que a beleza não tem sexo. Não estou ferindo a moral de ninguém falando isso, porque os traumas afetivos ficam para quem os acalenta.

Se via aí no mundo a presença da Sabedoria Divina no rosto de uma criança ou no olhar de um doente, ignorando-lhes os sinais morfológicos, aqui me sensibiliza muito mais contatar com uma bisavó, iluminada de bondade, com a face de um anjo que se detivesse indefinidamente na fase juvenil. Até que cheguei por aqui com aquelas ideias de brasileiro patropi, falando em propósito de casar para não amofinar, já possuo boas mudanças, já consigo ver nobres e lindas jovens sem fazer peraltice na cabeça.

Sei lá, querida mamãe Neide. A pessoa fora da casca física é outra coisa. O ambiente nos empolga e passamos a ser o reflexo dos outros que somam a maioria decidida a se fixar na sublimação.

Inegavelmente, o Bernardo e eu estamos longe da substância, mas já conseguimos o modo e o modo para nós dois representa grande conquista. Do parecer, passamos a ser, e nisso colocamos nossa esperança.

Agradeço ao Papai Adalberto e aos irmãos queridos Maria Ângela e Júnior a atenção que me deram; leram as minhas notícias e reconheceram que sou eu mesmo quem escreve. Nossas alegrias aqui aumentam.

O time está enriquecido com a presença possível do tio João e do tio Ivo. Os reencontros são felizes e graças a Deus todos estamos de boa consciência, o que não sei se aconteceria se o Bernardo e este seu filho ainda estivessem no mundo. Aí é muito difícil deixar de vestir espiritualmente as ideias de alguns que outra cousa não desejam senão ver-nos no fogo. Entretanto, não estou reprovando a ninguém. Tenho, contudo, muito receio do "jeitinho" qual me sucedia aí mesmo. A gente é apresentado a essa ou àquela pessoa, o tempo nos amarra uns aos outros e depois vem a proposta que nos faria despencar da tranquilidade. Quando se reage, vem logo a conversa do "jeitinho". Hoje, me alegro de estar longe, conquanto a saudade dos pais, dos irmãos e dos amigos, tudo melhor e tudo melhorará. Tanto aí quanto aqui, e isso é um grande consolo.

Agradeço a você, querida Mamãe Neide, por vir, atravessando distâncias na firme convicção de que o nosso diálogo não faltará. Muito grato por seu sacrifício, muito embora saiba que você dará o melhor dos sorrisos para repetir: "sacrifício nenhum, meu filho".

Bernardo está bem e se recomenda com

lembranças. E eu, reunindo com os fios da imaginação o Papai Adalberto com você e com os irmãos, peço-lhe receber tudo o que haja de melhor no amor e no coração de seu filho,

IVINHO

IVO DE BARROS CORREIA MENEZES.

LEIA

NOTA E IDENTIFICAÇÃO

12 - Psicografada pelo médium F.C. Xavier, em reunião pública do GEP, Uberaba, na madrugada de 03/09/1983.

13 - *tio João e tio Ivo* – Tios-avós maternos de Ivinho, desencarnados em 1978 e 1966, respectivamente.

QUINTA CARTA

Querida mamãe Neide,

Receba com o papai Adalberto aquilo de melhor que eu seja capaz de sentir.

(...) A Vovó Maria Celeste e o Avô Mário Barros continuam nos esclarecendo, mas ainda tenho muitas indagações.

Francamente, pelo menos de minha parte não sei se estou em Belo Horizonte ou em Uberaba, no plano físico ou no mundo de novas sensações, tudo porque ainda não me habituei a ser cidadão de dois mundos diferentes. Continuo desencarnado e prossigo querendo casarme e ser pai de família.

Estimo os avós que me favorecem aqui com os melhores ensejos de ser feliz, mas, no fundo de mim mesmo, o que desejo realmente será formar na juventude do meu tempo e adotar uma vida caseira, pródiga de bênçãos de paz. Mãe Neide, é que seu filho anda partido em dois, tamanho é o meu anseio de realizarme na condição de homem. Se puder conduzirme como devo, farei um recanto de luz e amor em meu benefício.

A Vovó Maria Celeste não nos violenta. Apenas apela para o Bernardo e para mim, solicitando-nos esperanças. Obedeço, conquanto saiba que não há casamento entre homens e almas do mundo novo que passou a ser o nosso. Desejo, porém, confiar-lhe os meus pensamentos mais íntimos na certeza de que, assim agindo, reparto consigo a carga atual de minhas perguntas sem respostas.

Apesar de tudo, vou muito bem, com aquela saudade simbolizando apenas um chapéu para atrapalhar. Peço-lhe que ore por mim ainda.

Preciso acomodar-me com a realidade, mas estou ainda sem jeito de colocar meu coração no figurino da obediência.

(...) Tudo vai indo bem. Se você encontrar algum tom de queixa em minhas palavras, isso é cascata, porque estamos aqui na vida espiritual sustentados por nossos parentes, qual se fôssemos príncipes realizados nos menores desejos.

Peço à Maria Ângela e ao nosso caro Júnior receberem o meu grande abraço. Não precisam recear a minha presença. Já possuo bastante experiência para tentar isso. Os vivos são os vivos e os mortos são os mortos. A regra apresenta mudanças apenas para o coração das mães que não se alteram.

Por tudo isso, mãezinha Neide, aqui estou com as minhas saudades e as minhas alegrias doando a você e ao papai Adalberto o coração contente do seu filho, sempre o seu,

IVINHO.

LEIA

NOTA

14 - Psicografada por F.C. Xavier, em reunião pública do GEP, na madrugada de 03/12/1983.

Sexta Carta

Querida Mãezinha Neide, abençoe-me.

A saudade nos marcou encontro e não houve obstáculo que se nos opusesse à alegria do grande abraço desta hora. Estou imaginando como se arranjará a Maria Ângela na data de hoje. Será que a vovó Ciaozita está assumindo a direção do bolo à frente das visitas? Penso que o esquema de sua vinda foi organizado com segurança.

Falar de carência afetiva é apelido. *O que nos acontece a mim e ao amigo Bernardo, é que não obstante o carinho de nossos entes queridos, a gente sente uma vontade louca de voltar para casa. O condicionamento mental é um fato de que não se pode duvidar. A minha avó Celeste, o meu avô Mário nos adivinham os mais íntimos pensamentos e o remédio é fazermos uma cara feliz de agradecimento, sem hipocrisia, porque o reconhecimento, diante de tanto amor, é uma ocorrência natural.*

Mas hoje, Mamãe Neide, quero falar-lhe à vontade, sem a pretensão de me esconder. Sinto falta de meus sapatos, de minhas camisas que eu mesmo desarrumava, e queria estar com o nosso querido Júnior, desfrutando o contentamento de nossa casa feliz. E depois, temos o seguinte: as suas preces por nossa transformação nos auxiliam com segurança; no entanto, peço a sua licença para lhe contar que a minha inquietação emotiva ainda não terminou. Não sei explicar, mas não me acostumo a essa história de despojamento do corpo que é o instrumento perfeito de sensações a fim de que estejamos estimulados a viver.

O tio Ivo é um companheiro notável, esclarecendo-nos que isso passará; entretanto, aquele desejo de passear com uma garota a tiracolo, observando se ela nos serviria para um casamento futuro, prevalece comigo.

Muitos rapazes se desligam com facilidade desses anseios. Tenho visto centenas que me participam estarem transfigurados pela religião e outros adotam exercícios de ioga com o objetivo de cortarem essas raízes da mocidade com o mundo. Outros muitos estão na mesma faixa em que Bernardo e eu respiramos.

Meu tio Ivo fala em amor entre os jovens, apenas usufruindo o magnetismo das mãos dadas e até já experimentei, mas a pequena não apresentava energias que atraíssem para longos diálogos sobre as maravilhas da vida por aqui. Fiz força e ela também; no entanto, nos separamos espontaneamente, porque não nos alimentávamos espiritualmente um ao outro.

Creio que meu caso é uma provação que apenas vencerei com o apoio do tempo. Meu tio faz longas explanações sobre o desprendimento entre os que se amam; no entanto, ele fala com preciosas elucidações e continuo na mesma.

Se estivesse aí faria vinte e cinco anos em janeiro próximo; um tempo lindo para se erguer um lar e criar filhos que eu pudesse colocar em seus braços de mãe e nos braços do papai Adalberto.

Creia que o assunto ficou tão fixo em mim, que o meu avô Barros me disse que eu conseguiria o que desejo só mesmo numa nova reencarnação. Mas isso é um assunto grave, porque não desejo assumir outra personalidade esquecendo os vínculos que me ligam ao seu querido coração. Com o auxílio de Deus, vencerei essa situação que lhe comunico, em confidência.

Mamãe Neide, por que será que o homem passa por este período de necessidade de integração com uma outra criatura no casamento? Sei lá... A minha avó Celeste considera fácil esta obtenção por aqui, porque nos afirma que, em nossa esfera, não há possibilidade de gravidez. Mas com gravidez ou sem ela, eu queria uma companheira loura ou morena, que se parecesse com você, que me protegesse, que me conseguisse organizar os lugares para descanso, que eu pudesse beijar muitas vezes para compensá-la do carinho que me consagrasse. A vovó Celeste me fala que isso é utopia de moço inexperiente e que, por aqui mesmo, conseguirei conquistar uma criatura que me venha complementar tantos sonhos.

Garanto a barra da disciplina, nada faço em contraposição ao que preciso fazer, mas Mamãe Neide, você acha que seria pecado encontrar uma jovem para se casar comigo? De filhos, nem poderíamos pensar, mas eu a trataria por filha e ela faria o mesmo para comigo. Isso é o único problema que me esquenta a cuca, embora já consiga parecer um rapaz acomodado aos hábitos do lugar em que presentemente devo viver.

Mamãe, você acredita que um rapaz de

mãos entrelaçadas com as mãos de uma jovem que, eu, porventura venha a amar solucionaria o meu problema? Conto-lhe tudo isso porque estava com muitas saudades de dialogar consigo. Dizem por aqui que os pares certos trocam emoções criativas e maravilhosas no simples toque de mãos; no entanto, estou esperando esse milagre.

O Bernardo, que se me fez companheiro dedicado e atento, aprecia o caso da mesma forma que eu; no entanto, estamos seguindo os seus exemplos de paciência e conformação e estamos trabalhando ativamente.

Quem sabe? Talvez isso resolva. Ouvi dizer no mundo que muitos rapazes e moças se entregam aos remos e, com esse trabalho, decorrente de um nobre esporte, conseguem liberar o magnetismo do sexo. Para que você possa rir com seu filho, vou procurar uma embarcação que me sirva de exaustor de tantas inquietações acumuladas. Acontece, porém, que você se recorda que perdi o meu corpo quando me decidia ao serviço de pescar. Eu fico pensando, pensando...

Quanto ao mais, tudo segue bem. As nossas atitudes são corretas. O problema é o anseio que está por trás delas, porque vejo que por aqui preciso me acostumar a uma vida sem muitas complexidades de sentimentos. Estudo, compareço ao trabalho, atendo às instruções dos mentores que nos guiam, mas o traço forte do sexo prepondera. De quando em quando, sou arguido por esse ou aquele instrutor que me pergunta sorrindo se já estou livre de minhas ansiedades, mas não tenho coragem de mentir e já sei que vou receber um sermão amigo recheado de bons conselhos.

Enfim, esta é minha atualidade e não podia omitir o que sinto perante você, minha mãe, minha confidente e minha melhor amiga. Com o tempo vamos regularizar tudo isso. Esteja tranquila. Refiro-me ao assunto, porquanto noto que a maioria dos jovens desencarnados que se comunicam dão uma volta no caso e passam por cima; no entanto, sei que a maioria deles está em posição semelhante a minha. Mas não há de ser nada. Acredito que vou entrar no cordão das mãos entrelaçadas e depois lhe darei notícias.

Envio parabéns a Maria Ângela e um grande abraço ao Júnior e ao papai Adalberto. Mãezinha Neide, não se preocupe com o que lhe transmito. É que, unindo as nossas orações por meu desligamento das sensações terrestres de que ainda tenho necessidade, estou certo de que vencerei. As mães podem tanto quanto os anjos de Deus e me entrego às suas preces.

Querida Mãezinha Neide, não me esqueci do Dia das Mães. A minha rosa esteve em seu quarto. Se alguém na família encontrar motivo para humor em minha situação, você não se impressione. Quem zombar de mim, um dia estará aqui, pedindo o apoio de alguma mulher que o auxilie. Isto é natureza criada por Deus, e de Deus virão os recursos para que estejamos em paz.

Muito apreço ao papai Adalberto e muito carinho a todos os nossos. E para você, querida Mãezinha Neide, fica nesta noite de preces todo o coração de seu filho, que se considera cada vez mais seu,

IVINHO.

LEIA

NOTA E IDENTIFICAÇÃO

15 - Psicografada por F.C. Xavier, em reunião pública do GEP, na noite de 26/5/1984.

16 - *vovó Ciaozita* – Ciaozita Rabelo, avó materna.

Carta 5
Despedida numa festa de orações

Durante a Festa de Yemanjá – uma das maiores e mais tradicionais festas religiosas do país –, realizada em Praia Grande, cidade do litoral paulista, o jovem Ulisses Ubiratan, ao entrar no mar, apresentou um mal súbito e tombou desfalecido, despedindo-se do Mundo Material.

Ubiratan ali estava, naquele 9 de dezembro de 1979, com todos os seus familiares, dedicados dirigentes de uma Tenda de caridade em Guarulhos, SP.

Contudo, passados três meses deste grande trauma afetivo, decorrente de uma separação tão brusca e inesperada, o Plano Espiritual se manifestou. A avó, D. Benedita Alves Tobias, mãe de criação do jovem e presidente da referida Tenda, compareceu ao Grupo Espírita da Prece, em Uberaba, onde recebeu afetuoso e consolador recado de Ubiratan, incluído em mensagem de Laurinho (Espírito) à sua mãe. *(Antenas de Luz,* F. C. Xavier, Laurinho, Priscilla P. S. Basile, IDE, Araras, SP, Cap. 4.)

Outras vezes D. Benedita esteve em Uberaba, mas somente três anos após o acontecimento, aos 4 de março de 1983, ela recebeu a tão esperada carta do saudoso filho-neto. Esta, além de esclarecer a causa real da morte física, abordou um tema que surpreendeu a família: o fechamento da Tenda, decisão tomada pelos próprios familiares, desde a desencarnação de Ubiratan.

Em sua carta, redigida com o auxílio da vovó Cândida, Ubiratan foi claro e incisivo ao focalizar esta questão: "hoje a vovó Cândida me recomenda indagar do seu coração por que motivo a senhora brigou com os nossos Protetores, encerrando as atividades de nossas reuniões. (...) Volte, querida Mãezinha Benedita, às tarefas da caridade, porque o bem a favor dos necessitados vem do Alto. Reúna a nossa família de amigos e companheiros, e abra uma vaga para mim, de modo que eu consiga estar perto de sua presença."

Pouco tempo após o recebimento desta mensagem, D. Benedita atendeu ao apelo do Mais Além, conforme carta a nós dirigida: "Graças à orientação e ao pedido de

Ubiratan, estamos novamente trabalhando na Tenda, praticando a caridade."

Querida mamãe Benedita, abençoe-me.

Tenho na imaginação o papai Valdir para reunir os dois em meu carinho, em lhes escrevendo estas notícias.

Francamente, não supunha pudesse encontrar mesa, papel, lápis, mãos amigas e uma assembleia de pessoas generosas a me auxiliarem para que lhes fale aos corações. Foi a vovó Cândida que me encorajou a vir até aqui, e enterneço-me, ao beijar a sua face.

Mamãe, quanto tempo de angústia escureceu a nossa vida, com a sua tristeza diante da partida que eu não podia evitar.

Confesso que me achava muito feliz, quando fomos, incorporados em grupo, reverenciar a nossa Mãe Espiritual na praia que me pareceu um lago imenso e repleto de luz, naquela hora em que iniciávamos as nossas preces.

Alguma coisa me interrompeu a tranquilidade. Levei a mão ao peito como se quisesse prender o meu coração que pulsava desorde-

nado. Pensei comigo mesmo que era a beleza espiritual dos cânticos e das orações que me induzia àquela empolgação, mas alongando o olhar para as águas, não mais vi a sua presença e nem os amigos que nos cercavam. O mar parecia uma praça em que deslizava muita gente numa espécie de trânsito que eu não conhecia. Quis chamá-la para ver, mas notei que uma senhora ao meu lado me abraçava maternalmente e eu, que já perdera a convivência da mamãe Dilma, para ter outra mãe na sua dedicação de avó, que se nos fez mãe querida, acreditei que outra mãe estava surgindo para mim. A senhora me estendeu os braços e não resisti ao encantamento daquele sorriso que me convidava à calma e à confiança. Numa fração de segundo, caí sem forças e, de imediato, notei que o coração parara de súbito... Não mais conseguia levantar-me, ou comandar os movimentos próprios.

Aquela outra mãe me disse, com bondade e tolerância:

– Para você, meu filho, chegou o descanso para tarefas novas...

Não compreendi o que escutara, e porque nada mais me restava senão obedecer, entreguei-me àquele regaço maternal que, aos meus olhos espantados, devia ser um colo do Céu. Acomodei-me rente àquele coração repleto de carinho e dormi profundamente.

Penso, mamãe Benedita, que não preciso dizer que despertei sob a proteção da vovó Cândida que me buscara, generosamente. Sentia-me confuso porque não me achava num ambiente novo e, sim, numa continuidade do painel em que nos desenvolvia a existência. A vovó Cândida passou a elucidar-me. Declarava ela que eu recebera um prêmio da Divina Providência, porque se estivesse atado à parada cardíaca de que fora acometido, talvez pudesse acordar em algum hospital da Terra ou em nossa casa, para atravessar longo tempo de imobilidade irreversível.

Chorei ao saber que nos achávamos separados, conquanto me soubesse resguardado na bondade vigilante da outra mãe que Deus me concedia.

Começaram novas experiências para mim. Diversas vezes fui revê-la, juntamente ao papai Valdir e às queridas irmãs Yara e Jupira, e senti que as suas lágrimas estavam em meus olhos.

Demorei-me para adquirir a conformação precisa a fim de contribuir, de algum modo, a benefício de nossa casa, mas hoje a vovó Cândida me recomenda indagar do seu coração por que motivo a senhora brigou com os nossos Protetores, encerrando as atividades de nossas reuniões. Mamãe, o seu espírito de trabalho não se compadece com essa omissão. Volte, querida mãezinha Benedita, às tarefas da caridade, porque o bem a favor dos necessitados vem do Alto.

Reúna a nossa família de amigos e companheiros, e abra uma vaga para mim, de modo que eu consiga estar perto de sua presença. Ainda sou inexperiente e preciso aprender a servir. Peço-lhe, tanto quanto ao papai Valdir, para que as nossas tarefas de auxílio aos sofredores sejam reiniciadas. A nossa felicidade se fechou, quando o seu coração querido cerrou as portas da vida íntima ao trabalho da fé.

Mãezinha, tudo evolui para melhor e estaremos consigo para que os nossos braços se dediquem à fraternidade.

Entregue a carga de nossas tristezas a Jesus e procuremos agir nas boas obras.

O tempo com o trabalho cura todas as

chagas do espírito e a sua dor, por minha causa, ficou sendo nossa.

Não fique impressionada por haver sido eu chamado numa hora de orações. Foi muito melhor assim do que se eu estivesse em brincadeiras inconvenientes, na rua.

Mamãe Benedita, não arrede os seus sentimentos da confiança em Deus. Venha para a luz do serviço aos nossos semelhantes outra vez, e pode trazer a fronte erguida de obreira que sempre buscou o melhor caminho de atender aos necessitados, que sempre confiaram em sua porta. Estaremos mais juntos.

A vovó Cândida, cuja mão dirige a minha mão enquanto lhe escrevo, para que eu não venha a perder tempo em divagações, lhe deixa um abraço extensivo ao papai Valdir e me recomenda terminar.

Querida mamãe Benedita, muitas lembranças ao papai, à Yara e à Jupira, e receba todo coração de seu neto, que é seu filho da alma, sentimento do seu sentimento, e será sempre amor de seu amor, sempre o seu

UBIRATAN.

ULISSES UBIRATAN ALVES GUSMÃO.

LEIA

Notas e Identificações

1 - *mamãe Benedita* – Benedita Alves Tobias, avó paterna de Ubiratan, o criou desde o nascimento por motivo de doença da mãe do jovem, Dilma da Conceição Gusmão. D. Benedita reside à Rua D. Antônia, nº 1146, Bairro Gopoúva, Guarulhos, SP.

2 - *papai Valdir* – Valdir Alves Gusmão.

3 - *vovó Cândida* - Bisavó paterna, faleceu em São Paulo, Capital, antes do nascimento de Ubiratan.

4 - *Levei a mão ao peito como se quisesse prender o meu coração que pulsava desordenado. (...) numa fração de segundo, caí sem forças e, de imediato, notei que o coração parara de súbito...* – A propósito da causa mortis, D. Benedita narrou-nos, em carta, que pouco tempo antes do fato, Ubiratan submeteu-se a um exame médico que "acusou algo no coração", aparentemente sem maior importância.

5 - *Yara e Jupira* – Irmãs.

6 - *Ulisses Ubiratan Alves Gusmão* – Nasceu em Guarulhos, a 12/01/1959. Era escriturário da Caixa Econômica Estadual e preparava-se para ingressar num curso de engenharia em Mogi das Cruzes.

Carta 6
Iniciação para a vida nova

Desde a juventude, Chiquito Rosa dedicou-se à comercialização do gado zebu. Tudo começou em 1915, quando, deixando Uberaba, sua terra natal, foi ao Rio de Janeiro para continuar seus estudos... Mas seus planos mudaram completamente com a chegada ao porto da então Capital brasileira de um navio carregado de gado zebu, vindo da Índia.

Desse momento em diante, entregou-se de corpo e alma ao comércio do zebu. Ao longo de décadas, percorreu o Brasil de ponta a ponta, divulgando as raças indianas, passando a ser considerado "o maior mascate de zebu de todos os tempos". E sempre foi chamado a participar de várias comissões técnicas julgadoras de animais indianos, em famosas exposições.

Ainda em vida física, foi homenageado por Joaquim Prata dos Santos, em longo artigo publicado no *Jornal da Manhã* (Uberaba, Minas, 7/11/1976), do qual transcreveremos alguns tópicos:

"Espírito arejado, depois de ajudar seu cunhado Armel Miranda, na comercialização do gado importado, entendeu que deveria conquistar outros mercados (...) levando tourinhos para o Rio Grande do Sul. (...) fez uma tentativa de comercializá-lo na Argentina (...) Posteriormente dirigiu-se ao Piauí, onde foi o pioneiro a introduzir o zebu naquele Estado (...) De grande visão e muita fibra, foi à busca de novos mercados no norte do país. (...) teve a oportunidade de ser um dos primeiros a embarcar para a Bahia um lote de 10 tourinhos, num avião de carga (...) Com a saúde abalada e uns negócios adversos, foi, pouco a pouco, reduzindo os seus ganhos até chegar a uma situação de pequenos recursos financeiros."

Com sérios problemas cardiorrenais, Chiquito foi obrigado a acamar-se, assim permanecendo durante seis anos, até os últimos dias de sua vida material.

Porém, todo esse tempo de sofrimento foi bem aproveitado, conforme suas próprias palavras, escritas dois anos após seu desenlace, pela psicografia de Chico Xavier: "Acredite que os meus melhores tempos foram aqueles de permanência, quase que obrigatória, dentro de casa. (...) A doença prolongada me intimou ao curso intensivo dos conhecimentos que já lhe felicitam o espírito. (...) Se não fossem os nossos diálogos (...) não posso calcular o atraso em que me acharia em caminho."

Assim, agradecido, refere-se aos conhecimentos espíritas que sua devotada esposa – nossa confreira D. Sílvia – transmitiu-lhe em reuniões de estudo doutrinário-evangélico, realizadas no lar, em quase todos os dias. Essa foi a bendita *iniciação para a vida nova,* que Chiquito soube aproveitar, e agora, em carta afetuosa e rica de informações, narra sua valiosa experiência, útil para todos nós.

Querida Sílvia, estou aqui, seguindo a você mesma, no caminho que a sua fé me trouxe. Por isso mesmo, rogo a Jesus nos abençoe e fortaleça nos deveres a cumprir.

O tempo parece deslizar sobre asas que nos arrancam até mesmo de nosso íntimo, de modo a buscarmos progresso e luz, queiramos ou não.

Hoje, noto que o sofrimento, por si, não é obstáculo, e sim, desafio, a que nos empenhamos na busca de mais vida.

Acredite que os meus melhores tempos foram aqueles de permanência, quase que obrigatória, dentro de casa, já que foi esse processo de que se utilizaram os nossos Amigos Espirituais para retirar-nos do campo de nós mesmos para o aprendizado que em mim se revelava tardio.

A doença prolongada me intimou ao curso intensivo dos conhecimentos que já lhe felicitam o espírito.

Conversando, aprendia de sua palavra o que se me fazia necessário para conquistar novos horizontes mentais.

A verdade é que se não fossem os nossos diálogos, nos quais você tomava a palavra com paciência, a fim de esclarecer-me o coração de novato em assuntos espirituais, não poderia calcular o atraso em que me acharia em caminho. Entretanto, o seu cuidado para com a minha gradativa preparação para a vida em que me vejo agora, me serviu por luz acesa em meu próprio íntimo, para vencer todos os entraves espirituais que, a princípio, pareciam insuperáveis.

Sentia-me de corpo desfalecente, mas o espírito, em mim mesmo, se fortalecia, cada vez mais, para a jornada que acabei realizando a contragosto. Digo assim, porque, até hoje, não conheço pessoa alguma que estime a aproximação da morte com a alegria de quem descobre um continente novo e continua a viver.

Também fui a vítima dos prejuízos e tabus de variada espécie que pretendem arrojarnos em fracasso e desilusão.

Quando, porém, amanheceu aquela doce véspera de Natal, percebi que minha vida se alterara por dentro. Ouvia chamados da Mamãe Zulmira como a convidar-me para uma festa de paz. Compreendi tudo, embora buscasse nada lhe dizer, porque me surpreendia ralado de vacilações e de dúvidas, mas entendi que o fim do corpo abatido não se faria esperar.

Realmente, foi o meu pai Tobias Rosa, no momento em que me confiava às suas preces mais íntimas, que me surgiu à frente e avisoume, francamente, que o momento era chegado. Mesmo assim, lutei resistindo ao aviso, porquanto me sentia demasiado forte para renderme às sugestões ouvidas e partir no rumo do desconhecido.

As minhas condições se agravavam, e, não apenas o meu pai me ocupava o campo da mente, outros antigos companheiros de Uberaba me apareciam como que a insistirem para que me decidisse para a viagem. Ainda assim, o receio de deixá-la sozinha me desagradava e me compelia a pensar em providências diver-

sas... O cerco fraterno prosseguia, e se conseguia algumas pitadas de sono era para sonhar que me achava à distância, no Sul do País, ou nas regiões do Norte, no tentame de colocar o zebu no lugar de destaque que eu supunha estivesse a merecer... Em poucos instantes me revia em Cruz Alta, ou na travessia da fronteira com a Argentina, naquele sonho de mascatear, conduzindo o nosso gado à destinação que nos merecia... Acordava de imediato e me via, ali, prostrado no leito, sem coragem de arredar o pé para a travessia de distâncias, fosse como fosse.

Tudo prosseguia nesse descontrole dolorido, quando vi o Armel Miranda, o amigo, junto do qual me abalancei a pedir a Deus me libertasse do corpo imprestável. Só então soube que o companheiro aceitara trabalho junto de nós, a fim de acompanhar as atividades da Ginga, bastante doente e abatida. Mas não apenas o Armel me encorajou a decisão, também o nosso Antônio Martins Borges, o João Prata, o Joaquim Telésforo e o David Carvalho se colocavam junto de mim, apontando-me os caminhos novos que me competia percorrer.

Louvei a Deus pela presença daqueles nobres amigos do Centro Allan Kardec, que me servia de escola e ponto, junto ao refazimento de forças de que me sentia necessitado, e dormi à feição da criança que recebesse o brinquedo de minha própria libertação, perante a ocorrência impropriamente considerada como sendo a morte.

A querida Mamãe Zulmira amparava-me a cabeça e, assim, esperei ansiosamente o instante de me desinstalar do corpo esquelético que me retinha. Ouvi as suas preces em meu favor e rendi graças a Jesus.

As nossas reuniões, ainda que não as frequentasse de todo, me haviam habilitado de algum modo para a Grande Mudança e me vi, pela primeira vez, separado do veículo que me transportara no mundo por tantos anos.

Agradeço a toda a família espiritual do nosso grupo de corações fraternos e peço a Deus a fortifique para que o seu apostolado prossiga, sem intervalos, diante de seu próprio futuro.

Querida Sílvia, compreendi que somente possuía o que colocara em minha própria alma e, desde então, me esforço por integrar a equipe dos irmãos que operam no bem e cooperam em favor do bem, junto à sua mediunidade e à sua fé.

Continue ajudando-me com a sua boa vontade e não se esqueça de que eu preciso ainda e demais do seu interesse para o meu conhecimento maior.

Perdoe-me se demorei tanto na compreensão e aceitação dos fatos correlacionados com a Verdade. Saiba, no entanto, que devo à nossa casa de fé e esperança a minha iniciação para a vida nova.

Agradeço a você por todas as manifestações de boa vontade para com o seu velho doente, e espero corresponder ao seu carinho e à sua confiança.

Reconheço que ainda me vejo enfraquecido para manejar o lápis com segurança; no entanto, prometo voltar a escrever com mais desenvoltura como é de desejar.

Agradeça por mim a todos os companheiros e irmãs de nossa casa pelo muito que me proporcionaram em matéria de auxílio.

E, na expectativa de retornar a fim de tomar-lhe a atenção para minhas novas notícias, sou o esposo e colaborador reconhecido, e companheiro sempre mais agradecido,

CHIQUITO.

FRANCISCO ROSA E SILVA.

LEIA

Notas e Identificações

1 - Carta psicografada por Francisco C. Xavier, em reunião pública do GEP, Uberaba, Minas, na noite de 29/01/1983.

2 - *Sílvia* – D. Sílvia Oliveira Rosa, esposa, reside em Uberaba, à Rua Delta, 63. Em 1966, fundou o Centro Espírita Allan Kardec, localizado de frente à sua casa. Espírita atuante, preside a instituição até os nossos dias. O casal não teve filhos.

3 - *Quando, porém, amanheceu aquela doce véspera de Natal, percebi que minha vida se alterara por dentro. Ouvia chamados da Mamãe Zulmira (...) compreendi tudo, embora buscasse nada lhe dizer (...) foi o meu pai que me surgiu à frente e avisou-me, francamente, que o momento era chegado.* – Chiquito desencarnou muito lúcido, no Natal de 1980. E, de fato, nada contou à esposa a respeito desta abençoada assistência espiritual, preparatória para o seu desenlace.

4 - *Mamãe Zulmira (...) meu pai, Tobias Rosa* – Seus progenitores: Tobias Antônio Rosa e Zulmira Ribeiro Rosa. Seu pai, desencarnado em 26/11/1917, "foi o grande jornalista que marcou época nesta cidade, com a sua *A Gazeta de Uberaba,* um verdadeiro líder do jornalismo interiorano." (J. P. dos Santos, em artigo já citado.)

5 - *Armel Miranda* – Seu cunhado, falecido em

1947, "um dos uberabenses que se encontram na galeria de honra e nos anais da história de Uberaba, como um dos pioneiros e um dos mais arrojados importadores de zebu." (J. P. dos Santos, idem.)

6 - *Ginga, bastante doente e abatida* – Apelido de Lídia Rosa Miranda, sua irmã e viúva de Armel Miranda. Na época referida, estava muito enferma.

7 - *Antônio Martins Borges* – Fazendeiro e comerciante dos mais destacados de Uberaba, faleceu em 1966.

8 - *João Prata* – Sogro da irmã de Chiquito, Délia Rosa Prata. Faleceu em 1942.

9 - *Joaquim Telésforo* – Joaquim Telésforo Prata, amigo, faleceu em 1937.

10 - *David Carvalho* – Farmacêutico, um dos fundadores do Hospital Beneficência Portuguesa de Uberaba, faleceu em 1965.

11 - *Francisco Rosa e Silva (Chiquito)* – Nasceu e desencarnou em Uberaba, a 29/3/1898 e 25/12/1980, respectivamente. Além de sua atuação marcante no comércio do gado zebu, também tornou-se muito conhecido como esportista. Foi um dos fundadores do Uberaba Sport Club e, quando presidente desta agremiação, em 1920, adquiriu um terreno e nele construiu o Estádio Boulanger Pucci. Assim, a Rua Chiquito Rosa, no Bairro das Mercês, é uma justa homenagem pública à sua memória.

Carta 7
Loucura e amor

"Sorriso aberto e constante,
Sem parada, sem destino,
Quem não gostava de suas palavras?

Anoiteceu...
Era chegada a hora!
Clima de tristeza e dor anunciava.

Soluços inconformados...
Sorrisos se fechavam, lágrimas caíam,
Momentos de revolta retorciam os pensamentos.

Não tinha volta.

Foi-se, deixando em nós, o mais profundo carinho.
Foi-se, deixando em nós, as mais lindas
recordações de alegria.
Foi-se, deixando em nós, sua música errada na flauta,
Seu jeito doido de sentar-se ao piano,
Sua voz afinada no coral...
Não pudemos segurá-la entre nós,
Outra missão a chamava...

Nossos estudos na música continuarão,
Pois em cada nota tocada, em cada nota cantada,
Você será lembrada com carinho e amor por todos nós."

Esta página poética, intitulada "A Inesquecível Regina", de autoria de Rose Mari Mestrinari e publicada no jornal *Folha de Mirassol,* revela-nos um perfil da personalidade da jovem Regina Elena Fernandes, recordando saudosos e bons tempos, época em que as duas jovens cursavam piano clássico no Conservatório Musical de Mirassol, SP.

Rose Mari aborda também a trágica desencarnação de sua colega, quando, na noite de 24 de outubro de 1981, na cidade de Mirassol, caiu baleada pelo seu namorado, que, a seguir, se suicidou, fato verificado na própria residência de Regina. Mas, dois anos após o triste fato, contrariando o texto poético, ela voltou: Sim, pela psicografia de Chico Xavier, Regina voltou contando detalhadamente as origens da tragédia e comunicando aos queridos progenitores que já está bem refeita, dedicando-se, presentemente, na área da enfermagem à mesma criatura que lhe tirou a vida física, ainda portadora de evidentes sinais de doença mental.

A pedido dela mesma, foi esta a primeira tarefa de Regina na Espiritualidade, mostrando-nos que, sob o amparo de Jesus, o amor vence sempre.

Em face deste trabalho assistencial, recentemente revelado, Rose Mari, por certo, estava bem inspirada quando escreveu, em fins de 1981:

"Não pudemos segurá-la entre nós,
Outra missão a chamava..."

Querido papai José Roberto e querida mãezinha Sirlei, peço-lhes me abençoem.

Sou eu mesma, a recordar os dois anos que se foram...

Outubro passado foi a marca inesquecível. Os dias se sobrepuseram sobre os dias e ressurgi do sofrimento para a consolação. De começo, foi o doloroso espanto da provação que se abateu sobre nós.

Pobre Pedro! Ele me dissera que receava os compromissos do casamento. Transportava consigo dificuldades congênitas, segundo os pareceres de um médico amigo. Falei da união espiritual, em que o companheirismo é a beleza do amor entre as almas. Ele chorou inconformado. Como ser pai se a paternidade se lhe erguia no peito por ideal que não podia arredar do coração? Conquanto me sensibilizasse, tranquei as lágrimas no peito, para que as dele fossem enxugadas. Poderíamos nos encontrar numa existência linda, em que as crianças sofredoras e órfãs se asilassem em nossos sentimentos de pais adotivos. Deus nos daria forças, seríamos felizes, na comunhão de sonhos e esperanças.

Pedro me pareceu reconfortado, mas alguns dias depois, penetrou a nossa casa, exterminando-me o corpo a tiros que me despojaram da vida física, sem qualquer possibilidade de restauração e, por fim, ele próprio, à vista da mãezinha Sirlei, atirou contra si mesmo, num suicídio que nunca mais esqueceremos.

Entretanto, embora soubesse que o papai José Roberto e a mamãe, com a Paula e com o Júnior, sofriam uma dor sem limites, ao ver-me desembaraçada dos constrangimentos a que fui submetida nos primeiros socorros que recebi em plena inconsciência de mim mesma, comecei a intensificar as minhas preces e os meus pensamentos positivos para que nos reerguêssemos espiritualmente da grande tribulação.

Sei que os pais queridos choravam comigo

a extensão de minhas ilusões destruídas e peço-lhes me perdoem pelo trabalho que lhes causei.

Uma senhora que me recomendou chamá-la simplesmente por Maria, me prestou desvelada assistência, qual se me fosse uma enfermeira maternal. Dizendo-me representar a Vovó Amélia junto de mim, tudo fez por levantar-me o ânimo, e com o amparo de outros benfeitores nos foi possível ver a mãezinha Sirlei e a nossa Paula, o papai José Roberto e o nosso caro Júnior mais conformados.

E comunico aos pais queridos que pedi aos Mensageiros de Jesus me concedessem, por primeira tarefa na Espiritualidade, o serviço de proteção em auxílio ao quase companheiro da vida terrestre que me despojara do corpo físico, num momento de louca alucinação. Desse modo, o meu doente de hoje me obriga a estudar enfermagem e me confere o privilégio de trabalhar e servir para, em futuro próximo, servir e trabalhar no serviço aos outros.

Desculpem-me os pais queridos se me dedico presentemente ao mesmo irmão que me varou o veículo físico usando os projéteis que me prostraram. É que a lei do amor assim nos recomenda: amar aos que nos ferem e auxiliar aos que procuram nos destruir.

E acima de tudo isso, o nosso pobre amigo não agiu em sã consciência, porquanto a condição de alienado mental, no cérebro dele, é ainda evidente. Com a paciência da mãezinha Sirlei e com a dedicação do papai José Roberto sei que a bondade de Jesus me auxiliará a vencer no serviço a que me propus.

É com alegria que lhes faço a presente comunicação, mesmo porque, tive a felicidade de nascer num lar que me ensinou a viver sem o ódio, procurando olvidar os meus caprichos e atender sempre aos Desígnios de Deus.

Querido papai, agradeço as suas vibrações de apoio em meu benefício, reconhecimento que torno extensivo à mãezinha Sirlei e aos meus avós Miguel e Rosa, José Mendonça e Amélia, que até hoje me lembram nas orações.

Peço a Jesus conceda ao Júnior e à nossa querida Paula uma vida nobre e feliz.

Acompanhei-os até aqui e, antes, recebi a recomendação de, se possível, trazer aos nossos amigos, Senhor Carlos Alberto e a Dona Haylet, as notícias possíveis da jovem Simone, a filhinha deles, recentemente desencarnada. Visitei-a antes de nosso ajuste para a viagem até aqui e posso dizer-lhe que, embora ainda hospitaliza-

da, a menina Simone está muito melhor, numa convalescença encorajadora e brilhante.

Ao abraçá-la, conheci ao lado dela um nobre amigo, que se me deu a conhecer sob o nome de Antônio Couceiro, dedicado a ela, para quem se volta com as melhores atenções. Esse amigo, aliás, nos recomendou pedir aos pais de nossa querida amiga não chorarem com tanta dor e aceitar-lhe o regresso à Vida Espiritual, com espírito de calma e compreensão.

Simone é um amor de criatura, de quem me honrarei, se puder ser aqui, para ela, uma irmã devotada. Observei que ainda traz consigo algumas sequelas do aneurisma que lhe cortou o fio da existência, que naturalmente seria mesmo breve, de vez que nós todos, em todas as nossas provas, acatamos os Desígnios do Pai Misericordioso.

Querido papai José Roberto e querida mãezinha Sirlei, peço entregarem à Paula e ao Júnior as minhas lembranças de sempre, ao mesmo tempo que lhes rogo conservarem nos corações queridos, o coração reconhecido e saudoso da filha que os ama e respeita cada vez mais, sempre a filha reconhecida,

REGINA ELENA.

REGINA ELENA FERNANDES.

LEIA

Notas e Identificações

1 - Carta recebida por Francisco Cândido Xavier, em reunião pública do GEP, em Uberaba, Minas, na noite de 05/11/1983.

2 - *papai José Roberto e mãezinha Sirlei* – Seus pais, José Roberto Fernandes e Sirlei Mendonça Fernandes, residem em Mirassol, SP, à Rua 13 de Maio, 2.353.

3 - *Outubro passado foi a marca inesquecível.* – Regina desencarnou no mês de outubro.

4 - *Pedro (...) transportava consigo dificuldades congênitas* – Foi o namorado de Regina. A família da jovem ouviu dizer que a doença de Pedro era epilepsia, que explica perfeitamente o surto psicótico que motivou a trágica ocorrência.

5 - *Paula e Júnior* – Ana Paula Fernandes e José Roberto Fernandes Júnior, irmãos.

6 - *Maria* – Benfeitora Espiritual.

7 - *o meu doente de hoje me obriga a estudar enfermagem* – Ela sempre manifestava aos familiares o desejo de ser enfermeira ou fazer um curso para assistir deficientes.

8 - *e me confere o privilégio de trabalhar e servir*

para, em futuro próximo, servir e trabalhar no serviço aos outros. – Regina era uma jovem prestativa e afável, principalmente com pessoas idosas e crianças.

9 - *a condição de alienado mental, no cérebro dele, é ainda evidente.* – Obviamente, ela se refere ao cérebro perispiritual, pois o perispírito (corpo espiritual ou psicossoma) é um "duplo", possuindo todos os órgãos do corpo físico.

10 - *meus avós Miguel e Rosa, José Mendonça e Amélia* – Miguel Fernandes e Rosa Machado Fernandes, avós paternos, residem em Santos, SP. E os avós maternos, José Mendonça e Amélia Almeida Mendonça, residem em Fernandópolis, SP.

11 - *nossos amigos, Senhor Carlos Alberto e Dona Haylet* – Estavam presentes à reunião Carlos Alberto Horcel e Haylet Couceiro Horcel, casal amigo da família e residente em Santos. Eles ficaram surpresos com a exatidão do nome "Haylet", dificilmente redigido corretamente.

12 - *Simone, a filhinha deles, recentemente desencarnada.* – Simone Couceiro Horcel partiu para o Além em 05/9/1981, com 13 anos de idade. Em vida material, Regina não a conheceu.

13 - *Antônio Couceiro* – Tio materno de Simone, desencarnado há 20 anos. A citação de seu nome na carta foi uma grande surpresa para o casal Horcel,

que imaginava somente uma assistência dos avós desencarnados à filha querida.

15 - *Regina Elena Fernandes* – Nascida em Fernandópolis, SP, a 8/5/1963, mudou-se, em 1975, para Mirassol, onde prosseguiu seus estudos na Escola Estadual Genaro Domarco. Desencarnou 2 meses antes de receber o certificado de pianista do Conservatório Musical local. Suas colegas prestaram-lhe, na ocasião, bela homenagem, registrando no Convite de Formatura as expressivas palavras:

"À Regina Elena

Você sempre nos ensinou a transformar a tristeza em alegria.

Hoje, através deste recado, queremos homenageá-la pelo dia da nossa formatura e transmitir-lhe toda a felicidade que estamos sentindo.

De onde você estiver, que continue sorrindo, que fique perto de nós, como sempre esteve.

Formandas - 1981"

Carta 8
"Muito obrigado, mamãe!"

Luís Alberto veio preparado espiritualmente para vencer e, realmente, venceu a provação de uma doença prolongada e incurável, que se instalou nos albores de sua adolescência.

Foi vitorioso, porque revelou em todo o transcorrer da enfermidade muita resignação e fé – apesar de tão jovem, estando na faixa dos 10-11 anos de idade –, conforme nos relatou seu pai, residente em Rio Grande, Rio Grande do Sul, em atenciosa missiva:

"Não se lastimava por sofrer e procurava sempre dar ânimo à mãe, que fraquejava ante o sofrimento do filho, acompanhado por nós, instante a instante, durante 1 ano e 5 meses, intermediado por ilusões e decepções.

Era católico e, sem que saibamos a origem, tinha quase idolatria por Santa Rita de Cássia, dirigindo a ela os seus anseios e agradecimentos. Essa fé sobressaiu quando, em seu leito de morte, rezava por sua própria inspiração e em voz alta, para assim "abafar" a dor que a doença lhe infligia.

Na noite em que desencarnaria, num hospital de Porto Alegre, tranquilo e sem dores, antes de dormir chamou a mãe para junto de si e, na presença da avó Silvana, que também o acompanhava, passou a mão pela face da mãe e pediu-lhe para que não chorasse por causa dele, que ela era a mãe mais bonita do mundo e ele gostava dela alegre e sorridente. Isso seriam 23 horas; às 3h30 da madrugada de 31 de março de 1976, expirou após um sono sereno."

Esta admirável conduta, de uma alma forte e amorosa, ainda se reflete em sua enternecedora carta mediúnica – psicografada por Chico Xavier, também em uma madrugada, aos 8 de abril de 1983, na reunião pública do GEP, em Uberaba –, que nada diz da vitória espiritual alcançada, constituindo apenas um belíssimo hino de gratidão filial. Com citações fiéis de fatos ocorridos 7 anos antes, na intimidade do lar, ele assim se expressou:

Querida Mãezinha, peço-te me abençoe.

Mãe, o pai está igualmente em minha lembrança e em meu reconhecimento.

Felicito-te a coragem, vencendo as distâncias, na expectativa de ouvir algumas palavras do teu filho.

Que poderia, porém, falar-te, quando te ouço a cada instante pelo radar do coração?

Continua falando-me, sim, reafirmando-me o teu amor e a tua confiança.

Estimaria que os irmãos queridos me vissem agora, distante daquela farmácia ambulante em que me transformara. Revejo o Luiz Henrique, o Cláudio, o Sérgio, a Luciane e a Andréa com enternecimento e com aquela ternura na qual nos criaste, ensinando-nos a respeitar o nome de Deus e a preparar-nos para sermos pessoas úteis na vida.

Lembro-me de tua dor silenciosa quando, decerto, a autoridade médica te falou pela primeira vez na doença que me estragaria o sangue, até deformá-lo inteiramente. Perguntei por que choravas, mas me disseste que tu mesma não sabia. Então, Mãezinha, comecei a ver-me no espelho de tuas retinas, sempre molhadas. E rememoro a luta em que entraste, noite a noite, à maneira de um soldado infatigável em conflito com a morte que vinha chegando devagarzinho.

Não me lembro de haver escutado a palavra "leucemia" de teus lábios, porque sabias trazer-me sempre o remédio da esperança.

Mas as injeções foram adquirindo a expressão de espinhos dolorosos e entendi, por fim, que me apagava, ao modo de uma vela que vacila com a brisa leve até consumir-se de todo.

Muito obrigado, Mamãe, por tudo.

Muito obrigado é tão pouco para definir o agradecimento que transborda, mas são as duas palavras que te oferto, recheadas dos beijos que não te dei.

Deus te recompense pelas noites de vigília, nas quais me observavas os olhos famintos de repouso. Aqueles travesseiros sempre mudados, aquelas exigências de seu menino, aqueles gemidos que te buscavam a atenção e aquelas petições constantes de melhoras que realmente não me podias dar.

Tudo passou, mas ficou a saudade, que em mim é presença incessante.

Crê, Mamãe querida; se eu pudesse, teria ficado; teria ficado para ser mais teu, depois de conhecer-te na dedicação com que te entregavas a mim, para que eu não sofresse... Teria ficado para contar aos meus irmãos a história de tua bondade, e de teu carinho, que só um filho doente consegue conhecer, mas, reconheci que as tuas preces do silêncio me entregavam a Deus...

Era para mim uma dor sem limites aquela de notar-te a angústia sem a possibilidade de consolar-te... Um dia veio com mais aflição no peito... Observei que uma nuvem me envolvia, e então passei às orações sem voz. Pedi a Deus que desse o que fosse justo e parece que comecei a dormir contra a vontade.

Do meio da neblina destacou-se um rosto com um sorriso e ouvi a voz que me dizia: – Agora, meu filho, vamos ao repouso. Vem aos braços da vovó Nair...

A emoção me tomou o íntimo e creio que lágrimas me banharam a face. Eram fortes os braços que me tomaram e aquele regaço acolhedor, que me fazia pensar em teu carinho, me asserenou o coração.

Descansei, dormindo, para despertar muito depois num lar novo, do qual regresso para tranquilizar-te e desejar-te, extensivamente a meu pai e aos irmãos, toda a felicidade no tamanho possível que a felicidade possa ter.

Mãezinha, estou quase bem, não fosse a falta de casa. Não posso, porém, ser ingrato à vovó Nair e à vovó Ana Maria, que me tratam com tanta ternura, e por isso peço-te, tanto quanto rogo a todos os nossos, não se afligirem a meu respeito.

A avó Nair possui uma benfeitora, na pessoa da irmã Antonina Xavier, e estamos sempre confortados pela esperança e pela oração.

Mãe querida, aqui termino. Ao papai e aos manos muito amor, como sempre, e contigo, deixa o próprio coração o teu filho que a vida arrancou às sombras da morte, a fim de amá-la sempre mais, sempre o teu

Luís Alberto.

Luís Alberto Canto da Rosa.

LEIA

Notas e Identificações

1 - *Mãezinha e pai* – Casal Vera Maria Carvalho da Rosa - Vidalberto Canto da Rosa.

2 - *Estimaria que os irmãos queridos me vissem agora, distante daquela farmácia ambulante em que me transformara.* – Durante a enfermidade, ele tomava, diariamente, vários medicamentos.

3 - *Luiz Henrique, Cláudio, Luciane, Andréa e Sérgio* – Os quatro primeiros são irmãos e Sérgio é seu primo. O Sr. Vidalberto chama a atenção para a exatidão dos nomes: Luiz Henrique, grafado com Z, e, no final da carta, Luís Alberto, com S.

4 - *Não me lembro de haver escutado a palavra "leucemia" de teus lábios* – Seu progenitor, em carta, explicou-nos: "Nós, durante o tempo da enfermidade, evitamos por todos os meios que ele soubesse ser portador de leucemia e o que ela significaria. Só tomamos conhecimento de que ele sabia da gravidade desta moléstia após sua morte, pelo seu médico assistente, Dr. Renato Failace. Com os olhos marejados de lágrimas, Dr. Failace dizia-me que perdera mais um cliente, mas acreditava que o mundo perdeu o que seria um grande cidadão. E concluiu: '–Esse menino foi um forte. Pediu-me não dizer aos seus pais que sabia ser portador de leucemia e que iria morrer!'"

5 - *e então passei às orações sem voz.* – Conforme vimos, nos últimos meses de sua vida física, orava em voz alta.

6 - *vovó Nair* – Nair Colvara de Carvalho, avó materna já desencarnada.

7 - *vovó Ana Maria* – Tataravó materna.

8 - *A avó Nair possui uma benfeitora, na pessoa da irmã Antonina Xavier* – A respeito desta benfeitora, o

Sr. Vidalberto informou-nos: "Diversas pessoas, de avançada idade, nos afirmaram ter vivido na localidade de Cerrito Velho, hoje Pedro Osório, uma senhora boníssima, chamada Antonina Xavier, que também residiu em Capão do Leão, município de Pelotas. Graziella Rodrigues de Arruda, prima da avó Nair, hoje com 80 anos, disse-nos ainda que Antonina Xavier benzia os enfermos e aplicava passes. Foi muito amiga de sua família, e era muito boa para ela e vó Nair, na época meninas pequenas, criadas juntas e residentes em Cerrito Velho."

9 - *Luís Alberto Canto da Rosa* – Nasceu a 04/3/1965, em Rio Grande, RS. Cursava a 4ª série do 1º Grau, quando foi acometido de leucemia.

10 - Comentando os benefícios desta carta mediúnica, o Sr. Vidalberto escreveu-nos: "A repercussão da mensagem na família, e especialmente entre nós, os pais, foi mais que um alento, foi um reviver!"

Carta 9
Violência e resgate

Quando trabalhava dentro de seu próprio estabelecimento comercial, em Vicente de Carvalho (antiga Itapema, distrito de Guarujá, SP), Edison Roberto, de 26 anos, foi baleado por um marginal, vindo a falecer no Hospital Ana Costa, de Santos, SP, vinte e um dias depois, a 1º de janeiro de 1979.

Porém, antes de completar um ano de sua desencarnação, Edison Roberto-Espírito voltou a dialogar com os familiares, trazendo o seu testemunho de amor através de longa carta de 51 páginas de texto psicografado, portadora de muito conforto e preciosas informações.

Dentre os temas abordados nesta missiva, destacamos

a análise de sua morte violenta, considerada como reflexo de dívida cármica, caracterizando um doloroso resgate *(Meu bisavô Joaquim me esclarece que passei por uma reação do presente em relação ao passado),* e o apelo veemente aos familiares para que não pensem em vingança, frisando: *A vingança é um fogo no caminho do coração... Por mais que desejemos fugir de semelhante labareda, as chamas do ódio nos perseguem de uma estrada para outra até que venhamos a compreender que todos somos filhos de Deus.*

Eis a carta psicografada pelo médium Chico Xavier, em reunião pública do GEP, Uberaba, na noite de 10 de novembro de 1979:

Querida mamãe Eunice, peço a sua bênção de paz, rogando a Jesus que nos ampare a todos.

Estou aqui trazido pela vovó Zilda, emocionado de tal modo que desconheço a maneira de retomar a faculdade de escrever a fim de oferecer-lhes as minhas notícias.

Vejo-a, mamãe, com a nossa querida Suely e o coração palpita apressado. É o anseio de me fazer tangível que surge em meus pensamentos e desaparece, ante a impossibilidade de readquirir o corpo físico a fim de fazer isso.

Recebam, assim, as minhas palavras, no que eu possa traçar no papel, como quem tira o lápis de dentro do coração para se exprimir numa carta.

Antes de tudo, venho pedir-lhes, querida mãezinha e querida Suely, para viverem, sem perder a coragem diante do futuro.

O que me aconteceu a princípio, para nós todos foi algo inesperado e terrível. Achava-me com a alegria do Ano Novo, trabalhando no Itapema, e estava longe de imaginar que seria alvejado por bagatela. Quando me vi sob o fogo da arma disparada, caí num torvelinho de ideias desencontradas.

Eram as promessas que havia feito a meu pai e ao seu coração de mãe, que não mais se cumpririam; era o meu compromisso com a nossa querida Suely, que se desfazia quando tanto desejava fazê-la feliz; eram meus irmãos na lembrança a esperarem por mim; eram os planos de serviço que não conseguiria retomar.

Lutei para não dormir naquela hora difícil, ansiando prosseguir no comando de meu corpo, mas todo o esforço se fazia inútil...

Por fim, entrei num desmaio como se

meus pensamentos fossem uma vela acesa que se apagava de repente.

Quis pensar em reagir, mas no fundo de meu coração, qual se alguém me quisesse refletindo em Jesus nos momentos que me precediam o repouso, me falava uma voz que parecia vir de mim mesmo:"– Filho, pense em Jesus; perdão para nós todos, ódio nunca"...

A voz me mostrava a ideia com tanta doçura, que rapidamente me esqueci de que fora atacado... Refleti em Jesus e senti que adormecia com uma bênção. Só muito depois vim a saber que essa voz vinha da vovó Zilda, que não me desejava odiando a ninguém...

Dormi profundamente e não tive qualquer contato com a realidade de tudo quanto se seguia àquela agressão, porque hoje creio que a misericórdia de Deus estabelece uma lei de repouso para os que se transferem de uma vida para outra, mormente eu, me reportando ao meu caso, porquanto caía sem qualquer preparação.

Quanto tempo perdurou aquele torpor imprevisto, não sei. Lembro-me de haver acordado num aposento de hospital, que me fazia supor numa internação em algum pronto-so-

corro da Terra mesmo. Acordei sentindo muita agitação e não sabia se era de dor ou angústia, porque os quadros em derredor não me tranquilizavam, apesar do cuidado carinhoso que se mantinha no recinto. Pedi a sua presença, a presença de Suely; quis ver outros familiares, mas depois de muitas requisições vieram a vovó Zilda e o tio Flávio ao meu encontro...

O espanto me tomou de improviso, mas para que não me admitisse perturbado, a vovó adiantou a esclarecer-me sem muitas palavras a nova situação. O pranto me subiu do peito para os olhos e chorei qual se voltasse à condição de uma criança. Outros amigos vieram ter conosco e me reconfortaram. O Sílvio José, irmão de nossa querida Suely, me abraçou a consolar-me. Era preciso conscientizar-me aceitando a verdade, e oraram comigo os corações queridos que me buscavam. Acalmei-me a fim de raciocinar com mais segurança...

Creiam que as lágrimas de casa me alcançaram, coma se houvesse um entrelaçamento incessante entre o lugar em que me achava e a nossa moradia no Mundo. Agora, depois de tantos dias de expectativa, venho rogar-lhes conformação e esperança, mamãe, tendo os pensamentos de meu pai no coração; e peço-lhes para que aceitem a minha vinda para cá por acontecimento que não dependia de nós.

Peço à querida Suely me perdoe se não pude executar o prometido, mas serei o irmão e companheiro a esforçar-me para vê-la feliz.

Meu bisavô Joaquim me esclarece que passei por uma reação do presente em relação ao passado, e acredito que só por uma dívida de que me mantenho ainda esquecido, poderia eu cair sem razão justa no serviço em que procurava a nossa subsistência.

Lembre-se, mamãe, do Carlos Alberto, da Sandra, do Mário e também da Suely, que passou a ser sua filha em meu lugar, e reanime-se para tomar a vida que Deus nos concedeu.

Com paciência e alegria, agora peço, mas peço com todos os meus sentimentos de filho e de companheiro, para que ninguém de nosso campo familiar e nem de nossas amizades pense em vingança.

A vingança é um fogo no caminho do coração. Por mais que desejemos fugir de semelhante labareda, as chamas do ódio nos perseguem de uma estrada para outra até que venhamos a compreender que todos somos filhos de Deus. Aqueles amigos que perderam o equi-

líbrio e me alvejaram são nossos irmãos. Cabe-nos pensar o que seria de nós se estivéssemos em lugar deles...

Mamãe, é preciso compadecer-se das mãos que ferem porque os que foram feridos estão sob a tutela da bondade de Deus, que a ninguém abandona sem providência e consolo.

Rogo hoje à família por eles, pelos irmãos que ainda não despertaram para as leis de Deus que governam a vida... Auxiliem-me esquecendo aquele final de existência para que eu possa sentir em mim a luz do alvorecer em que me encontro. Suely, você que é tão humana e compreensiva, auxilie aos nossos nessa compreensão.

Precisamos da paz e a paz chega somente pelo amor que Jesus nos ensinou. Tenho aprendido muito nestes meses de ausência, do ponto de vista de espaço, e, com a experiência de hoje, rogo à mamãe e a todos os nossos para que se esqueçam do mal e pensem unicamente no bem.

Suely querida, se não consegui realizar nossos anseios, não julgue que a deixarei; caminharei para diante com as suas aspirações e Jesus nos ajudará a encontrar um pouso para a edificação dos seus sonhos que são também meus.

Mãe querida, agradeço todo o seu imenso amor e peço-lhe crer em Deus, aceitando a vida nova de seu filho. Tenho recebido as vibrações de amor do querido papai e os pensamentos de carinho dos irmãos.

Aqui termino reafirmando a todos que estou bem. A diferença é apenas saudade, mas saudade é também um estímulo para que venhamos a trabalhar com fé no porvir, no grande futuro em que todos nos reencontraremos. Deus nos abençoará para que estejamos abençoados.

Recordem-me vivo e alegre como em nossos melhores dias. Que a nossa casa se abra à esperança e ao sol da alegria como sempre, porque houve para mim abençoada ressurreição.

Querida mãezinha e querida Suely, recebam aqui todo o coração reconhecido e confiante do filho e companheiro que pede a Deus nos ampare a todos, para que possamos prosseguir em paz nos caminhos de nossas vidas.

Muitas saudades e esperanças, abraços e flores de carinho do filho muito grato de sempre,

EDISON ROBERTO RIBEIRO PEREIRA.

LEIA

Notas e Identificações

1 - *Mamãe Eunice* – D. Eunice Ribeiro Pereira, residente em Santos, SP.

2 - *vovó Zilda* – Zilda Drumond de Oliveira, avó materna, desencarnada em Santos, a 18/11/1969.

3 - *Suely* – Noiva.

4 - *Achava-me com a alegria do Ano Novo* – "Meu filho sempre adorou as festas do Ano Novo", escreveu-nos D. Eunice, em entrevista epistolar.

5 - *a meu pai* – Sr. João Pereira.

6 - *tio Flávio* – Flávio Pinto Ribeiro, tio materno, desencarnado em Santos, a 14/3/1967.

7 - Silvio *José* – Irmão de Suely, desencarnado em Santos, em 1976.

8 - *as lágrimas de casa me alcançaram, como se houvesse um entrelaçamento incessante entre o lugar em que me achava e a nossa moradia no Mundo.* – A sintonia mental entre os que se amam é uma realidade que a morte não desfaz. Assim, o clima de "conformação e esperança" no seio da família, que fica na Terra, é o ideal, muito beneficiando o ente querido que partiu para o Além, proporcionando-lhe paz, conforto e estímulo, que se transformam, muitas vezes, para ele, em sus-

tentação fundamental, no período de adaptação na Vida Nova.

9 - *bisavô Joaquim* – Tetravô materno de Edison. No diálogo que D. Eunice manteve com Chico Xavier, na tarde da reunião de sexta-feira, o médium detectou, ao lado dela, a presença de um Espírito familiar, chamado Joaquim. Ao ser informada, ela respondeu que o desconhecia, pois nunca ouvira falar deste familiar. E, nessa mesma reunião, no início da madrugada, ao escrever sua carta, Edison citou o seu "bisavô Joaquim" (na verdade, tetravô). Mesmo assim, D. Eunice interpretou a citação do nome Joaquim, como engano, pois o seu avô chamava-se Antônio; ou incompleta: seria Antônio Joaquim? (ela não tinha certeza do nome completo de seu avô Antônio). Esta dúvida só foi esclarecida 2 anos após, ao final do Inventário de seu pai, quando D. Eunice leu uma cópia do mesmo, que recebeu das mãos da sua irmã (que havia aberto o Inventário), constatando, muito surpresa, que seu bisavô, pai de Antônio, chamava-se Joaquim.

10 - *Carlos Alberto, Sandra e Mário* – Irmãos.

11 - *Edison Roberto Ribeiro Pereira* – "O meu Edison era um ótimo filho", escreveu-nos D. Eunice. "Era simples, carinhoso, honesto e trabalhador. Desde os 11 anos de idade, já trabalhava, ajudando a família." Estes traços de personalidade condizem com a elevação espiritual que ele revela em sua carta.

Carta 10
Vencendo a solidão

Querida mãezinha Renata, abençoe-me.

O papai Caetano e eu estamos aqui a pedir-lhe para viver.

Mamãe, o seu coração não está sozinho. Estamos juntos. Lembre-se, existem muitos Marcos quais eu mesmo, precisando de mães que os auxiliem a viver.

A vovó Artemízia continua trabalhando pelos filhos Mário e Nair, que ainda se acham enfermos na Vida Espiritual.

O vovô Ernesto ainda precisa de cuidados.

E a vovó Cândida está em refazimento. Estou quase com experiência de enfermeiro, pois o papai Caetano ainda necessita de adaptação ao novo ambiente.

Mãezinha Renata, fique conosco, tanto quanto estamos consigo e receba um beijo do seu filho sempre agradecido,

MARCOS ROBERTO VALLINI.

Esta pequena carta mediúnica, recebida pelo médium Chico Xavier, em reunião pública do GEP, em Uberaba, na noite de 21 de agosto de 1981, sintetiza todo o drama de D. Renata Bevilacqua Vallini, professora de piano, residente na Capital paulista, que se viu, quase que de um momento para outro, em solidão afetiva, ao perder todos os seus entes queridos.

Observa-se que o autor espiritual, o jovem Marcos, cita seis parentes, todos domiciliados no Além, que constituíam, na Terra, com o próprio Marcos (filho único), a constelação familiar de sua mãe, D. Renata, a única que permanece encarnada.

Os familiares citados são: Caetano, segundo esposo, que comparece ao lado do filho reforçando o apelo: "Estamos aqui a pedir-lhe para viver." Artemízia, mãe, em trabalho constante de reerguimento espiritual de seus filhos

Mário e Nair, ainda enfermos, vítimas de atitudes autodestruidoras. Ernesto, progenitor, e Cândida, sogra (mãe do primeiro esposo) e portanto, avó por adoção de Marcos, em pleno refazimento no Mundo Maior.

Também digno de nota é que cinco desencarnaram num período curto, de abril de 1979 a junho de 1980, sendo dois casos (Mário e Nair) de morte violenta.

Assim, neste amargo caminho de provação, D. Renata tem vencido obstáculos, superando ideias melancólicas, sustentada sempre por Benfeitores Espirituais, entre eles seus familiares queridos, já domiciliados no Lar Maior.

Testemunhando sua vitória ao longo destes últimos anos, ela afirmou-nos, em recente carta, datada de 20 de março de 1984: "Passei a frequentar o Centro Espírita Dr. Bezerra de Menezes, onde trabalho com muita felicidade. Hoje tenho todas as respostas e a alegria da resignação. (...) Gostaria de comentar que, em minha busca incessante, encontrei a tão almejada Paz no Espiritismo."

Além da mensagem que abriu este Capítulo, D. Renata recebeu, em outras reuniões públicas do GEP, também pela psicografia de Chico Xavier, duas outras importantes cartas: a segunda do filho Marcos, em 30 de abril de 1982, e a primeira de sua mãe, D. Artemízia, em 12 de novembro de 1982, que transcreveremos a seguir, para a nossa meditação:

Segunda Carta

Então, Mãezinha Renata, aqui estamos.

Não suponha que eu viva longe.

Continuamos unidos. Aquelas suas esperanças de um filho robusto que a protegesse pelos caminhos da vida, que se lhe fizesse o braço amigo na travessia de qualquer obstáculo, não pode morrer. O vovô deu a música ao seu coração e eu quero ser o amor dentro dela. É por isso que o seu carinho não sucumbiu, ante as provações que desabaram sobre a nossa casa, depois daquela nossa separação violenta.

A propósito, a fim de encerrar o assunto em que se configurou o episódio de minha volta à Vida Espiritual, desejo contar-lhes que o amigo Alberto não teve culpa alguma no acidente. Examinamos juntos a arma e cuidadosamente passei a sobraçá-la, de maneira a instalá-la em lugar adequado, quando o projétil se desprendeu do instrumento alcançando-me de modo tal no tocante à morte do corpo. Senti um estremecimento e escutei o grito do companheiro; entretanto, num momento o silêncio me envolveu. Até hoje pergunto a mim mesmo pelo processo através do qual me apaguei, de uma vez.

Tudo em mim por fora e por dentro foi aquele torpor de que não voltei tão depressa.

Acordei, mais tarde, sob os cuidados de bisavós queridos, que me guardaram como se cuida de um bebê nascente, tal o carinho com que me defenderam e resguardaram, despertando-me com cautela do marasmo em que caíra a fim de saber que eu era seu em outra parte da vida.

A breve tempo, o papai Caetano se uniu a mim e fomos surpreendidos com os fatos repletos de dor que se projetaram sobre os nossos caminhos. Acompanhamos a sua amargura com a desencarnação da vovó Artemízia, que tanto se propunha a conservar a sua paz. Seguimos a sua perplexidade com a queda da tia Nair, que não conseguiu resistir ao trauma da altura grande até o piso, em que foi recolhida por nós. E depois vimos o seu sofrimento ao ver o do Mário desertar da vida com um tiro certeiro que lhe transplantou a existência.

Falo em tudo isso, Mãezinha Renata, não só para confirmar-lhe que não está sozinha, mas também porque estamos numa reunião de amigos e desejo apresentar-lhes, com o orgulho santo do meu coração de filho, a valorosa mãe a quem Deus me confiou.

Tendo perdido a meu pai e a mim, os meus avós, e os irmãos quase todos em provas difíceis de vencer, sempre a vi no pesar justo, que passou a morar conosco, mas sempre confiando em Deus e procurando viver para ser fiel à Divina Providência. Acompanho suas aulas de música e me oculto entre aqueles companheirinhos que lhe ouvem as lições.

Estamos lutando para vencer por dentro de nós tudo o que ainda seja sombra, para que, num dia, a luz nos transporte para além do horizonte visível na Terra...

Não se interesse em qualquer processo de angústia. Mãezinha Renata, o tempo não se repete. Os dias são novos para nós.

Ainda que mesmo entre lágrimas, olhe a vida em torno de nós e recorde o imenso bem que pode fazer.

Outros filhos do coração a esperam, onde estejam crianças que sofrem.

O vovô Ernesto e a vovó Cândida, a vovó Artemízia e muitos outros corações nos apoiam e sempre que o frio lhe imponha a ideia de solidão, sinta as minhas mãos nas suas. Recorde que nenhuma força da Terra poderá separar-nos, porque Deus nos uniu para sempre e não desejaria, por certo, separar-nos, agora que nos pertencemos um ao outro. O papai Caetano recomenda-me que a siga, pedindo a Jesus lhe abençoar os passos.

E nessa viagem para a frente na estrada dos caminhos, quero ser sempre o seu Marcos menino, tentando retribuir ao seu amor materno, tudo o que a sua dedicação criou em meu benefício.

Mãezinha querida, com a vovó Artemízia estou me retirando... Mas isso é simbólico, porque na realidade estaremos unidos no mesmo ar que nos alimenta a vida. Todos os nossos daqui lhe pedem não pensar em morte, e nem nesse ou naquele capítulo de tristeza negativa, supondo que deva fazer isso porque a maioria dos familiares aqui se encontra.

A sua existência é preciosa para Deus e para nós na Terra, e por isso contamos com a sua alegria e com a sua confiança em Deus e no Grande Amanhã.

Querida Mãezinha, não tenho palavras

para dizer-lhe quanto a amamos. Por isso pense em mim, como quando me recostava pequenino em seu colo para encontrar a paz. Sinta-me com os braços ainda estreitos enlaçando-a com o meu coração de encontro ao seu e saberá ouvir todo o carinho e toda a gratidão do seu filho, sempre o seu

MARCOS.

MARCOS ROBERTO VALLINI.

CARTA DA MAMÃE ARTEMÍZIA

Querida Renata, minha querida filha, Deus nos abençoe.

Não fosse a minha inquietação de mãe por você e não estaria aqui exigindo ocasião para me fazer percebida por você, a pedir-lhe nos auxilie.

Não desejo subtrair os minutos dos amigos que compõem a reunião em que nos achamos, mas para que me desculpem, desejo que todos saibam de minhas razões de mãe.

Sei que você, tão moça e com tantas possibilidades de fazer o bem, está sentindo a

diminuição da sua capacidade de resistência, diante do que você considera solidão. Não pense na morte, à feição de um escape, a fim de reencontrar-nos. Você e eu já sofremos o suficiente para aprender a esperar.

Compreendo a sua tortura íntima. Nós duas vimos a desencarnação de nossa avó Cândida; a morte do querido Ernesto; vimos amarguradas o falecimento do nosso Marcos Roberto, tombado sob um projétil que casualmente lhe exterminou a vida física; seguimos de perto a desencarnação de nosso estimado Caetano, que foi um companheiro paternal para você, mais do que marido; depois, foi a minha vez. Deixei-a em pranto porque o corpo fatigado não tinha condições para me resguardar. E você sabe que pranteamos juntas aquela pesada separação.

Depois foram dois choques que nos desequilibraram as emoções. Ver a nossa Nair a se atirar de grande altura para deformar-se no chão e saber que o nosso Mário atirou sobre si mesmo, desertando do mundo, foram problemas que, realmente, me imporiam outra morte se eu pudesse morrer outra vez.

Por tudo isso passou você ou passamos nós duas, mas desejo que você saiba que a

morte não existe para as mães e que eu não trocaria o Céu pelo recanto onde estou assistindo ao reajuste de seus irmãos. Não me suponha descansando, porque o nosso Mário e a nossa Nair, de todos os nossos, são os que mais sofrem por haverem criado angústia de consciência, para eles mesmos, no suicídio a que se entregaram, inexperientes e inconformados.

Agora, filha, venho esmolar a sua fortaleza para que não me enfraqueça. Por amor a Deus, não admita a possibilidade de também provocar a sua saída violenta do corpo. Há muito por fazer no que se refere aos que amargam provações que desconhecemos. Não conserve em seu poder arma alguma e nem líquido algum capaz de acenar-lhe com tentações, nas quais reflito amedrontada. Oraremos juntas e o Senhor lhe organizará trabalho em que você se esqueça, pelo menos um tanto, para continuarmos cumprindo o que as Leis Divinas esperam de nós.

Ninguém deve e nem precisa provocar a morte do corpo, de vez que não existe pessoa alguma na Terra capaz de afastá-la, quando vem na sequência natural dos acontecimentos da vida.

Espere-me como a espero, com a certeza de que o Sol de Deus a todos nos ilumina e de que, pelo pensamento e pela oração, nunca estaremos separadas.

O Roberto veio em minha companhia e beija-lhe com carinho o coração de mãe, e confiando em você no que lhe peço nesta noite de paz, rogo a você aconchegar-se ao meu colo como fazia quando em criança, e sinta o meu coração pulsando com o seu nos mesmos movimentos de fé em Deus, conservando a certeza de que terá sempre em mim, a sua velha mãe que deve tanto à sua dedicação, sempre a sua mamãe

ARTEMÍZIA BEVILACQUA.

NOTAS E IDENTIFICAÇÕES

1 - *Caetano* – Caetano Faustino Vallini, pai de Marcos, desencarnado em 10/6/1980.

2 - *Artemízia* – Artermízia Bevilacqua, avó materna de Marcos, desencarnada em 12/4/1979, aos 81 anos de idade.

3 - *Mário* – Mário Bevilacqua, irmão de D.

Renata, solteiro, suicidou-se em 11/5/1980, 19 dias após a morte de sua irmã Nair, com quem residia.

4 - *Nair* – Nair Graça Plena Mora, irmã de D. Renata, suicidou-se em 22/4/1980, ao atirar-se da janela do edifício onde residia. Nessa época, estava muito enfraquecida, sob tratamento de grave leucemia.

5 - *ainda se acham enfermos* (Mário e Nair) *na vida espiritual* – A literatura espírita é rica de informações a respeito dos graves prejuízos futuros para quem põe fim, deliberadamente, à vida física. O suicídio, séria transgressão à Lei Natural ou Divina, ocasiona traumas espirituais e perispirituais, sempre requerendo tratamento prolongado, inclusive reencarnações regenerativas para completarem a terapêutica. Dentre as numerosas obras que tratam do assunto, podemos citar: *O Evangelho Segundo o Espiritismo,* Allan Kardec, Cap. 5, Q. 14 a 17; *O Livro dos Espíritos,* A. Kardec, Q. 943 a 957; *O Céu e o Inferno (ou A Justiça Divina Segundo o Espiritismo),* A. Kardec, Segunda Parte, Cap. 5; *Memórias de um Suicida,* médium Yvonne A. Pereira, FEB, Rio; *Religião dos Espíritos,* Francisco C. Xavier, Emmanuel, Cap. 48, FEB; *Nosso Lar,* F. C. Xavier, André Luiz, Cap. 4, FEB.

6 - *Ernesto* – Ernesto Bevilacqua, pai de D. Re-

nata, foi violoncelista da Orquestra Sinfônica Municipal de São Paulo. Desencarnou em 7/12/1967, aos 75 anos.

7 - *vovó Cândida* – Cândida Ferreira Cunha, avó por adoção de Marcos, faleceu em 15/2/1980.

8 - *a fim de encerrar o assunto (...) desejo contar-lhes que o amigo Alberto não teve culpa alguma no acidente.* – A narrativa de Marcos coincide, perfeitamente, com o depoimento de Alberto na Justiça. Na época do fato, em 1971, como houvesse suspeita de crime, a família de D. Renata contratou um advogado. Porém, em 1974, atendendo a um pedido do próprio Marcos (Espírito), que se comunicou por uma médium psicofônica de um Centro Espírita de São Paulo, inocentando seu amigo, D. Renata suspendeu a ação na Justiça.

9 - *Marcos Roberto Vallini* – Desencarnou a 19/6/ 1971, em São Paulo, quando cursava o 3º ano de engenharia eletrônica da Faculdade Mauá.

10 - *Não pense na morte, à feição de um escape, a fim de reencontrar-nos.* – Contou-nos D. Renata, em entrevista fraterna, que até o recebimento da mensagem materna, acreditava, em certos dias, que seria mais útil à família residir no Plano Espiritual, chegando a pedir, em preces, a sua passagem para o Além. Seria até, diz ela, uma atitude nobre... Mas

as palavras da mamãe Artemízia foram convincentes e tocaram profundamente em seu coração, despertando-a para a realidade maior de suas responsabilidades com a própria Vida. Com sua visão ampliada, vencendo ideias depressivas, D. Renata começou a perceber que tinha muitas amizades sinceras, outros familiares, embora mais distantes, e não mais rezou para partir...

CARTA 11

"Uma provação me esperava com endereço exato"

A partida inesperada de Silvana Maria Bertoni, com 25 anos de idade, para o Mais Além, vitimada em acidente automobilístico na Marginal Pinheiros da capital paulista, deixou sua família traumatizada.

E não poderia ser diferente, pois Silvaninha – assim chamada pelos seus – era carinhosa, afável e muito unida aos familiares mais íntimos: os pais, Dr. Olavo Bertoni e D. Wilma Montesano Bertoni, e a irmã, Luciana Maria Bertoni, residentes em São Paulo. "Ela só nos deu alegrias", contou-nos, emocionado, Dr. Olavo, resumindo com esta frase a personalidade admirável de sua filha.

Contudo, aos 30 de julho de 1983, quinze dias antes

de completar um ano da dolorosa ocorrência, Silvaninha, Espírito, voltou a se comunicar com os entes queridos que deixou na Terra, redigindo confortadora e elucidativa carta pela mediunidade de Chico Xavier.

Mostrando-se equilibrada e bem adaptada à Vida Maior, conseguiu transmitir, nessa mensagem, muita esperança e fé aos seus familiares, juntamente com preciosas informações, contando sua experiência no processo desencarnatório; a posterior e prolongada luta íntima para aceitar o novo ambiente; e desfazendo sentimentos de culpa de sua irmã Luciana, que dirigia o automóvel no momento do acidente fatal.

Ao afirmar: "espero que Luciana aceite o que me aconteceu por uma provação que, decerto, me esperava com endereço exato", ela afastou qualquer ideia motivadora de complexo de culpa e revelou-se consciente da Lei de Causa e Efeito (ou Cármica) – reflexo da Justiça e Misericórdia de Deus, que se cumpre no desenrolar de nossas reencarnações.

Querido papai Olavo e querida mãezinha Wilma, abençoem-me.

Estou surpreendida com a possibilidade de exprimir com lápis e papel o meu assombro diante da transformação que me ocorreu.

Antes de tudo quero dizer à nossa que-

rida Luciana que não temos lugar para sentimentos de culpa, nem ela e nem eu. Estávamos ambas em movimentação irrepreensível no trânsito e admirava a perícia da querida irmã ao descartar-se dos veículos que nos cercavam, quando a batida me alvejou de repente.

Creio que não pensei em mim, tanto quanto na irmã querida que sempre me protegeu carinhosamente. Meu desejo de expressar-lhe o meu apoio, caso estivesse ferida, era grande; no entanto, uma força compulsiva me dobrava a cabeça e não consegui manejar o meu corpo como ansiava fazer. Escutei vozes que manifestavam espanto ou pediam providências, mas, dentro de mim o pensamento era uma lâmpada que se apagava, sem que eu pudesse fazer algo para impedir aquela cessação de vida mental que me afligia. Caí num sono compulsivo qual se alguém me houvesse imposto elevada carga de sedativos e não soube mais coisa alguma acerca de mim própria, até que, naturalmente espantada, despertei sob as atenções de uma senhora que me convidava a nomeá-la por vovó Cândida.

A penetração no complicado problema de meu regresso de improviso à Vida Espiritual passou a aborrecer-me. Gastei tempo para acei-

tar-me dentro do novo contexto de experiência a que fora conduzida e chorei imaginando o trabalho e o sacrifício que lhes teria dado. Imaginar que a nossa Luciana estivesse sofrendo por minha causa me transtornava de todo e não descansei até que a vovó Cândida e a outra avó que se me apresentou com extrema bondade, a avó Maria Bertoni, me favorecessem com a minha volta à casa.

Fitar as lágrimas de Luciana, e sentir em mim a dor do papai Olavo e da mãezinha Wilma, foi para mim um suplício, que só a oração conseguiu atenuar.

Agora, mais calma, venho pedir à querida irmã que não se preocupe por mim. Sei que ambas estávamos agindo cautelosamente e a nossa querida Luciana foi e continua sendo a nossa melhor chauffeuse. Não desejo que a irmãzinha renuncie ao prazer do volante e espero que Luciana aceite o que me aconteceu por uma provação que, decerto, me esperava com endereço exato.

Deus não nos abandona e peço à querida irmã sustentar-se na fé viva em Deus, com que sempre nos harmonizávamos com a vida.

Querida Luciana, não me ponha distante; estamos juntas como sempre e sentir-me-ei novamente feliz ao sabê-la positivamente livre de recordações amargas que não encontram razão de ser.

Querida irmã, venho beijá-la com o carinho e a gratidão de todos os dias, pedindo-lhe para viver e confiar na Divina Providência que nos dirige as vidas e caminhos.

O nosso hoje é muito melhor que o nosso ontem e o nosso amanhã brilhará com mais alegria no céu de nossas esperanças.

Mamãe Wilma, se não houvesse saudade, este é o momento em que tomaria por marco de minha nova felicidade, mas venceremos a saudade com a nossa confiança em Deus. Mãezinha Wilma, minha avó Cândida tudo tem feito por alegrar-me e sei que a sua bondade me auxiliará a ser agradecida.

Perdoem-me se finalizo.

Ficaria contente se me fosse possível materializar o meu sorriso de paz e esperança a fim de reconfortá-los, mas sem recursos para superar as leis que nos regem, contento-me em beijar a querida irmã com o enternecimento de todas as horas e envolvo os pais queridos na ternura imensa que me vai no coração.

À querida Mamãe Wilma e ao querido

Papai Olavo, rogando nos abençoem, muito carinho e muita saudade nos beijos da filha sempre reconhecida,

SILVANINHA.

SILVANA MARIA BERTONI.

LEIA

NOTAS E IDENTIFICAÇÕES

1 - Carta psicografada por Francisco Cândido Xavier, em reunião pública do GEP, Uberaba, Minas.

2 - *Vovó Cândida* – Cândida Rossi Sarto, bisavó materna, desencarnada em 20/6/1959.

3 - *Avó Maria Bertoni* – Maria Faria Bertoni, bisavó paterna, desencarnada há muitos anos.

4 - *Silvana Maria Bertoni* – Nasceu em São Paulo, Capital, a 10/10/1956. Cursou a Faculdade Mackenzie, onde se diplomou em Ciências Exatas (Matemática Computadorizada) em 1980. Ao sofrer o acidente automobilístico de 14/8/1982, foi hospitalizada com trauma craniano e, não suportando graves complicações, desencarnou no dia seguinte.

SEGUNDA CARTA

Querido Papai Olavo e querida Mãezi-

nha Wilma, recebam todo o meu carinho com a nossa querida Luciana.

Venho até aqui, com a noninha Maria Bertoni, para confirmar-lhes que a paz está em meu coração, depois que os vi libertos daquele sofrimento que nos oprimia a todos.

Quero dizer à nossa Luciana que o carro acidentado está muito longe de nós. Tenho procurado acompanhar a irmãzinha em suas atividades e regozijo-me com a esperança e a tranquilidade que lhe habitam agora a alma querida.

Felizmente, de meu lado, tudo vai seguindo pelo melhor.

O bisavô Montesano veio a nós, auxiliando-me igualmente.

Agora, peço a Deus unicamente os conserve felizes.

Papai Olavo e Mãezinha Wilma, agradeço-lhes a beneficência em minha lembrança. Cada vez que estendem as mãos em auxílio de alguém, é a mim que endereçam maior amparo. Com as bênçãos de bondade que semeiam silenciosamente em meu nome, sinto-me cada vez mais abastecida de forças para trabalhar e agradeço a Deus os pais queridos e a querida irmã que me deu, e rogo-lhes receber todo o meu reconhecimento.

Querido Papai Olavo, peço a Jesus pelo restabelecimento de sua saúde e deixo à querida MãezinhaWilma e à nossa querida Luciana todo o meu carinho de sempre.

Pais queridos, recebam com a irmã abençoada que está crescendo cada vez mais em meu coração, todo o respeitoso amor da filha e irmã sempre agradecida.

SILVANINHA.

SILVANA MARIA BERTONI.

LEIA

NOTAS E IDENTIFICAÇÃO

5 - Carta psicografada por Francisco C. Xavier, em reunião pública do GEP, Uberaba, a 13/4/1984.

6 - *Bisavô Montesano* – Rafael Montesano, bisavô materno, desencarnado em 14/7/1930.

7 - *agradeço-lhes a beneficência em minha lembrança. (...) bênçãos de bondade que semeiam silenciosamente em meu nome* – Ao abordar esta questão íntima, Silvaninha surpreendeu seus pais, demonstrando sua presença espiritual no seio familiar.

Carta 12

"Darling, we are together for ever." ("Querida, nós estamos juntos para sempre.")

Aos 21 de março de 1980, em via pública de Três Lagoas, Mato Grosso do Sul, onde exercia a nobre função de Promotor Público, o Dr. Manoel de Oliveira Gomes perdeu a vida física, ao ser atingido, pelas costas, por um disparo de arma de fogo.

Ao partir para o Mundo Maior, Dr. Manoel deixou a esposa, D. Arilene, e um filhinho de 7 meses de idade.

Três anos se passaram...

Em fevereiro de 1983, na cidade de Uberaba, D. Arilene reencontrou-se com o inesquecível companheiro ao receber, pelo lápis mediúnico de Chico Xavier, confortadora carta de sua autoria, portadora de preciosas informações para seu coração, além de várias frases em inglês, que o casal habitualmente usava em bilhetinhos íntimos.

Relatando este feliz e abençoado reencontro, D. Arilene assim redigiu seu depoimento, integrante de expressiva carta, datada de 8/7/83, a nós dirigida:

"Prezado Sr. Hércio,

Deus nos abençoe.

Continua ainda em mim a mesma alegria e satisfação do dia em que a mensagem do meu querido Manoel chegou em minhas mãos. Dia este que veio transformar toda minha vida.

Foi na madrugada de 19 de fevereiro de 1983, em reunião no Grupo Espírita da Prece, na cidade de Uberaba, onde o nosso querido e amado Chico, na sua incansável jornada, foi o intermediário, com a permissão de Jesus, de mais um intercâmbio do mundo espiritual com o físico. Por meio de suas abençoadas mãos trouxe a mim a presença viva e serena do meu querido 'Léle'.

Que esta possa levar a outras pessoas a fé, o amor, o conforto e que, por seu intermédio, desperte em seus corações o desejo de uma renovação.

Sr. Hércio, agradeço-lhe de coração o interesse em incluir esta mensagem em mais um dos belos livros de cartas psicografadas pelo nosso querido Chico Xavier, a quem devo muito. Aqui continuarei sempre pedindo a

"Darling, we are together for ever."

Deus que cubra este médium de bênçãos, mais e mais, e que ele possa, por mais tempo, amenizar corações amargurados e aflitos.

Eis os dados que o senhor solicitou:

(...) Um abraço fraternal,

(a) Arilene."

Darling,

God bless us. *

Estou presente aqui nestas folhas simples tanto quanto me sinto cada vez mais vivo em sua memória.

Venho pedir-lhe calma e coragem.

O servidor da justiça não deve temer, nem tremer. Por isso mesmo, porque não me seria possível alterar os autos de um processo que se formara na base da realidade, tive o prêmio dos projéteis que me surpreenderam na rua.

Mas eu sei que você é forte e que nosso querido filho encontra em seu coração o apoio duplo de que sou agora metade.

---

* Querida, Deus nos abençoe.

Não desejo rememorar o acontecimento fulminativo que me retirou do corpo.

Foi um verdadeiro despojamento qual se me visse sob ordens determinativas para mudança de casa. Não consegui pensar. O corpo caiu de vez, à maneira de tronco arrasado por lâmina oculta.

E adormeci sem querer, sonhando que voltava para casa. Beijava nosso filho e abraçava a você com a ênfase de quem superara um assalto; mas, em seguida ao sonho de superfície, desci a um desmaio de profundidade do qual despertei, após uma parcela de tempo que ainda não sei precisar, despertando em companhia de bisavós queridos.

Meu primeiro impulso foi o de retomar o caminho para Três Lagoas, no intuito de retomar a posição de esposo e pai junto à família.

Só, então, na euforia de quem se reconhecia livre depois de pesada ameaça, é que vim a saber que nossas vidas haviam sido desviadas do próprio curso, à feição do rio que se biparte.

No entanto, não alimentei qualquer dúvida. Se eu existia, você e nosso filhinho existiam igualmente em algum lugar, e o rio de nossas existências se rearticularia de novo no tempo chamado futuro. E aqui me encontro, com o nosso benfeitor José de Oliveira, para rogar-lhe paciência e fé no Poder Supremo que nos rege os destinos.

Peço a você – mas peço com todo o meu coração – não permita que o nosso pequeno se desenvolva com ideias de ressentimento e azedume na vida íntima.

Três Lagoas é uma cidade de amigos generosos. Ali temos afeições que integram a nossa felicidade e a nossa vida.

Aquela gente amiga e aquela terra dadivosa não possuem qualquer culpa naquilo que me aconteceu.

O Promotor é obrigado a promover a execução do que se lhe oferece na pauta da Justiça e o que me aconteceu surgiria em qualquer parte.

Estou aprendendo que a dívida caminha com o devedor, e sendo meu o débito resgatado é nossa obrigação agradecer a Deus a possibilidade de havermos pago a conta que devo ter assumido na retaguarda das reencarnações.

Não fosse a saudade e tudo estaria bem;

no entanto, confio em sua capacidade de trabalho e resistência.

Prossiga em seus estudos e auxilie ao nosso filhinho na formação do futuro.

Sei que você fará isso melhor do que eu mesmo...

*Quando você se levantar a cada dia, recorde as palavras de meus pequenos recados: "I miss you..."**

*E quando a noite venha, para as nossas meditações em conjunto, sinta-me ao seu lado, repetindo: "Darling, I'm here".***

Não estou esnobando. Você sabe disso.

É que nós dois tivemos uma felicidade toda única e tão grande que muitas vezes, precisava de dois idiomas a fim de manifestar-se.

Creio que estas minhas notas darão a você e ao nosso filhinho, tanto quanto aos nossos amigos, a convicção de que sou eu mesmo a escrever-lhe.

Estou liberto de qualquer amargura. Aprendi muito cedo que ninguém elimina a

---

* *"Sinto sua falta..."*

** *"Querida, estou aqui."*

vida de alguém para sentir-se feliz, e por isso me reconforto ao reconhecer que não traímos a nossa consciência.

*Darling, stay with God. You don't stay alone because we are together for ever and ever.**

Nada de pranto. Coragem e confiança em Deus.

Beijos ao nosso filhinho, e para você todo o coração do seu

LÉLE.

MANOEL DE OLIVEIRA GOMES.

LEIA

NOTAS E IDENTIFICAÇÕES

1 - *Darling, God bless us.* – A tradução desta frase, como das demais em inglês, colocada em nota de rodapé, foi feita pela D. Arilene, quando divulgou a carta mediúnica em impresso bem confeccionado. Ela explicou-nos: desde que se conheceram, cultivaram o hábito de dialogarem em inglês, em alguns momentos, especialmente na permuta de bilhe-

---

* Querida, fique com Deus. Você não está sozinha porque nós estamos juntos para sempre e sempre.

tinhos. Assim, praticavam o estudo dessa língua e, quando necessário, tornavam o intercâmbio pessoal mais reservado.

Esta é mais uma interessante manifestação da mediunidade poliglota ou de xenoglossia [do gr. xénos: "estrangeiro" + glossa: "língua (linguagem)"] de Chico Xavier. Mensagens em inglês ou em outros idiomas desconhecidos do médium (italiano, espanhol) integram os seguintes livros: *Enciclopédia de Parapsicologia, Metapsíquica e Espiritismo,* João Teixeira de Paula, Vol. II, p. 94; *Trinta Anos com Chico Xavier,* Clovis Tavares, IDE, Araras, SP, Cap. 13; p. 147; *Entre Irmãos de Outras Terras,* F. C. Xavier, W. Vieira, Espíritos Diversos, FEB, Brasília, Segunda Parte; *Claramente Vivos,* F. C. Xavier, Elias Barbosa, Espíritos Diversos, IDE, Araras, SP, Cap. 3, 4, 19, 20, 21 e 22.

2 - *nosso querido filho* – Guilherme Augusto Arão Gomes.

3 - *benfeitor José de Oliveira* – Provavelmente, tio do Dr. Manoel.

4 - *Estou aprendendo que a dívida caminha com o devedor (...) retaguarda das reencarnações.* – Neste tópico, Dr. Manoel revela grande compreensão das Leis Divinas que regem a nossa evolução espiritual, através de reencarnações sucessivas.

5 - *E quando a noite venha, para as nossas medita-*

ções em conjunto, sinta-me ao seu lado, repetindo: "Darling, I'm here". – Os Espíritos influenciam em nossos pensamentos mais do que imaginamos, principalmente quando há sintonia mental, alicerçada em afinidade de sentimentos, como no presente caso. Todos somos médiuns, em maior ou menor grau, sendo a inspiração (intuição) a forma de mediunidade mais frequente. (Ver *O Livro dos Espíritos,* Questões 456 a 460, e *O Livro dos Médiuns,* Questão 182, ambos de Allan Kardec.)

6 - *Léle* – Era assim chamado pela esposa e alguns familiares.

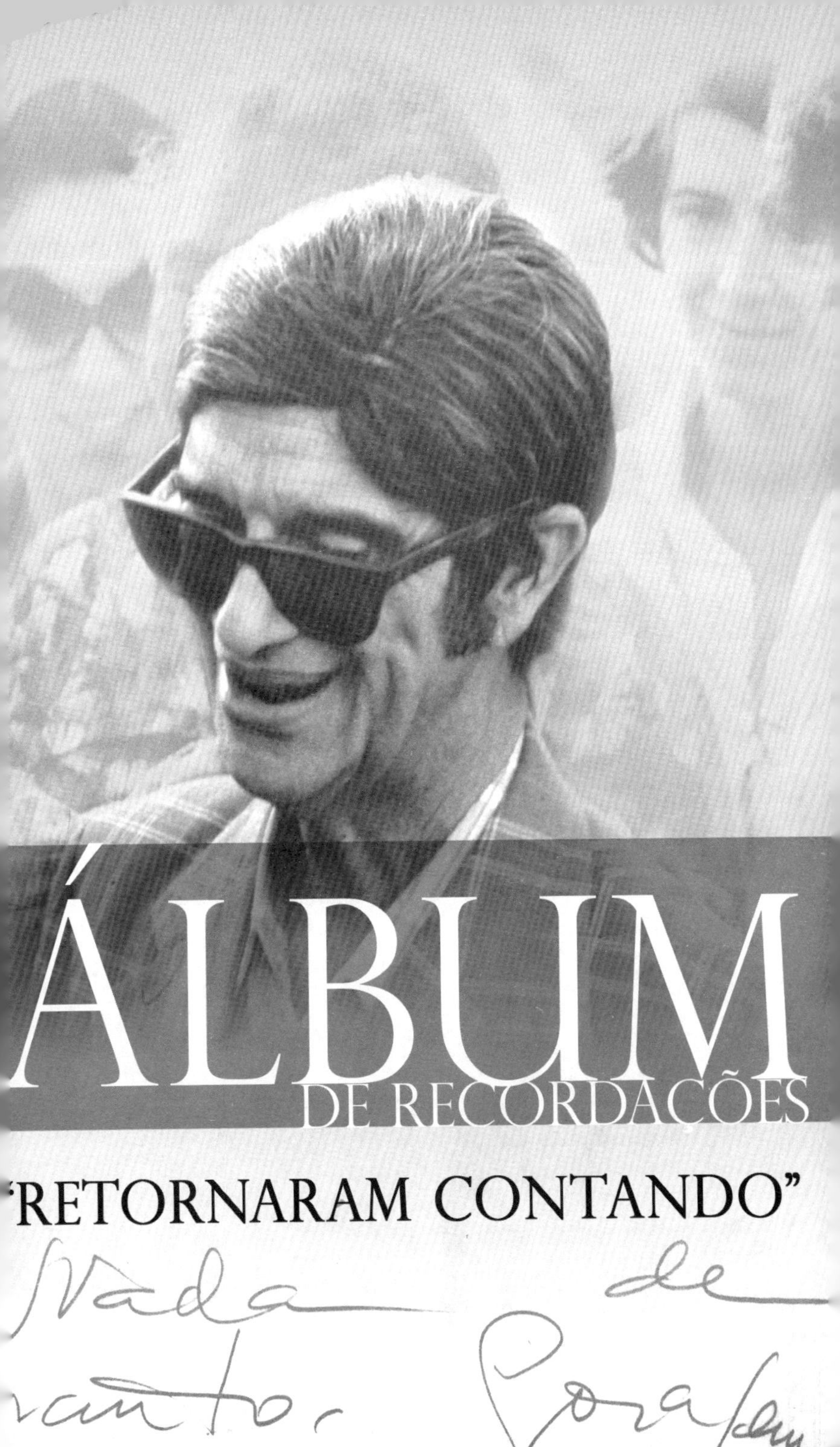
ÁLBUM
DE RECORDAÇÕES
"RETORNARAM CONTANDO"

Carta 1

Três irmãos no caminho da redenção

Os irmãos José, Jair e Osmar Fortunato

Carta 2

O despertar de novo dia

Maria Helena Rezende

Carta 3

"Juca, você está livre"

Juca Andrade

Carta 4

"É fácil morrer,
mas não é fácil
desencarnar"

*Ivo de Barros
Correia Menezes*

Carta 5

Despedida numa
festa de orações

*Ulisses Ubiratan
Alves Gusmão*

Carta 6

Iniciação para a
Vida Nova

Chiquito Rosa

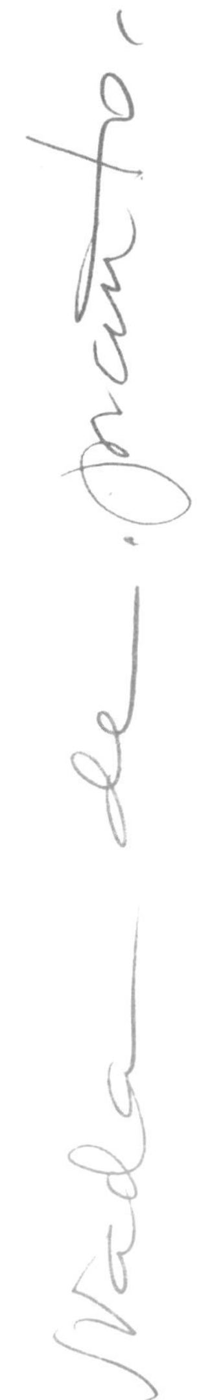

Carta 7

Loucura e amor

Regina Elena Fernandes

Carta 8

"Muito obrigado, mamãe!"

Luís Alberto Canto

Carta 9

Violência e resgate

Edison Roberto Ribeiro Pereira

Carta 10

Vencendo a solidão

Marcos Roberto Vallini

Carta 10

Vencendo a solidão

Artemízia Bevilacqua

Carta 11

"Uma provação me esperava com endereço exato"

Silvana Maria Bertoni

Carta 12

"Darling, we are together for ever."

Dr. Manoel de Oliveira Gomes

Darling
Good bless us
Estou presente
aqui nestas
folhas simples
tanto quanto
me sinto cada
vez mais

Carta 12

"Darling, we are together for ever."

Primeira página da carta mediúnica do Dr. Manoel de Oliveira Gomes

Francisco Cândido Xavier psicografando em Uberaba-MG

Temas de Estudo Doutrinário*

* Relacionamos, neste Apêndice, os temas abordados nas cartas mediúnicas que compõem este livro, de maior interesse para os estudiosos da Doutrina Espírita, indicando, à frente dos mesmos, os Capítulos correspondentes. – *Nota do organizador.*

Pratique o *"Evangelho no Lar"*

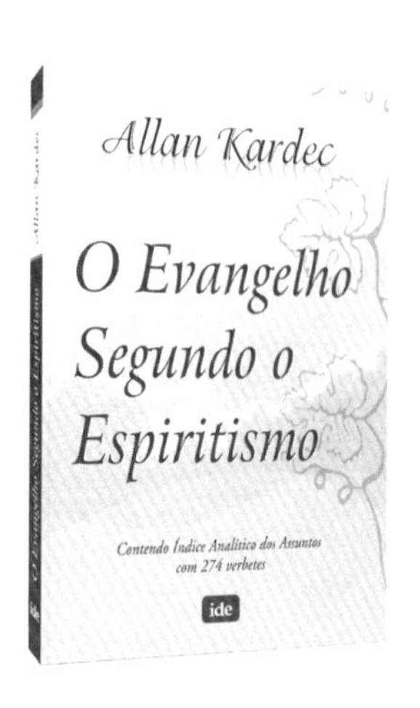

IDE EDITORA É APENAS UM NOME FANTASIA UTILIZADO PELO INSTITUTO DE DIFUSÃO ESPÍRITA, ENTIDADE SEM FINS LUCRATIVOS, QUE PROMOVE EXTENSO PROGRAMA DE ASSISTÊNCIA SOCIAL, E QUE DETÉM OS DIREITOS AUTORAIS DESTA OBRA.